Francesca Parizzi Roberta Renzi

L' ITALIANO AL LAVORO

Certificato di Conoscenza dell'Italiano Commerciale

> rilasciato dall'Università per Stranieri di Perugia

Come prepararsi all'esame

Livello intermedio I

indice

CIC
CERTIFICATO DI CONOSCENZA DELL'ITALIANO COMMERCIALE

Che cos'è il
CIC
CERTIFICATO DI CONOSCENZA DELL'ITALIANO COMMERCIALE

COMUNICARE NEL MONDO DEL LAVORO

La comunicazione nel mondo del lavoro assume un'importanza sempre crescente grazie ad una serie di trasformazioni che ne hanno ridefinito le caratteristiche e le dinamiche.

In questo contesto cresce l'esigenza di operare con **personale sempre più qualificato**, pronto a rispondere alle necessità imposte dal nuovo mondo del lavoro e capace di muoversi autonomamente in un ambiente internazionale.

La **conoscenza delle lingue straniere** si impone come un requisito indispensabile per chi vuole affrontare consapevolmente e con la giusta professionalità questo nuovo contesto.

IL CIC - CERTIFICATO DI CONOSCENZA DELL'ITALIANO COMMERCIALE

L'Università per Stranieri di Perugia, l'istituzione più antica e prestigiosa nel campo della ricerca sull'apprendimento e l'insegnamento dell'italiano, rilascia il Certificato di Conoscenza dell'Italiano Commerciale (CIC), che attesta la conoscenza della lingua italiana idonea ad interagire ed operare in contesti lavorativi.

La creazione di questo strumento di verifica e valutazione, primo del suo genere in Italia, risponde all'esigenza sempre più sentita di certificare la conoscenza dell'italiano per tutti coloro che utilizzano questa lingua come **concreto strumento di comunicazione** in una realtà economica dove il marchio "Made in Italy" si impone in molti settori.

Il CIC comprende una serie di test che intendono riproporre i compiti e le attività tipiche che si presentano **a chi opera effettivamente** in ambiti lavorativi italiani, soprattutto in ambienti aziendali ed organizzativi.

I testi proposti durante le prove sono **autentici** e al candidato viene richiesto di dimostrare non solo la propria competenza linguistica, ma anche la capacità di interagire e comunicare efficacemente.

Anche se gli argomenti e i contenuti selezionati gravitano sempre nell'area di interesse economico e commerciale, **non è richiesta al candidato nessuna conoscenza pregressa di specifici settori tecnici.**

Il CIC si rivela quindi un ottimo strumento di verifica e valutazione per una serie di utenti:
- **per persone che operano o intendono operare in ambiti lavorativi internazionali e che vogliono arricchire il proprio curriculum personale**
- **per aziende ed organizzazioni in fase di selezione del personale o di verifica delle qualifiche degli addetti**
- **per scuole/università con indirizzo economico e commerciale che vogliono sondare o determinare il livello di conoscenza dell'italiano dei propri studenti**

I LIVELLI DI COMPETENZA LINGUISTICA DEL CIC

Il CIC è disponibile per due livelli:
LIVELLO INTERMEDIO e **LIVELLO AVANZATO**

Questi due livelli si collocano all'interno del Quadro di Riferimento elaborato dall'ALTE (*Association of Language Testers in Europe*), associazione europea che comprende alcune tra le più importanti istituzioni impegnate nel settore della verifica e valutazione della conoscenza delle lingue straniere e di cui l'Università per Stranieri di Perugia è membro fondatore.

Il Quadro di Riferimento ALTE è strutturato su 6 livelli **equiparati ai livelli del** ***Common European Framework of Reference for Languages: learning, teaching, assessment*** emanato dal Consiglio d'Europa.

I 2 livelli del CIC si collocano rispettivamente:

LIVELLI DEL CONSIGLIO D'EUROPA		LIVELLI ALTE	LIVELLI DEL CIC Certificato di Conoscenza dell'Italiano Commerciale
LIVELLO ELEMENTARE	A1 contatto	LIVELLO contatto	
	A2 sopravvivenza	LIVELLO 1	
LIVELLO INTERMEDIO	B1 soglia	LIVELLO 2	**CIC INTERMEDIO**
	B2 progresso	LIVELLO 3	
LIVELLO AVANZATO	C1 efficacia	LIVELLO 4	**CIC AVANZATO**
	C2 padronanza	LIVELLO 5	

Oltre all'italiano, i certificati rilasciati dai membri ALTE per l'attestazione della conoscenza di una lingua straniera in contesti legati all'ambiente lavorativo sono oggi disponibili in altre 4 lingue:

LIVELLI	ITALIANO	INGLESE	FRANCESE	TEDESCO	SPAGNOLO
LIVELLO Contatto A1					
LIVELLO 1 A2					
LIVELLO 2 B1	**CIC (Certificato di Italiano Commerciale) intermedio**	BEC (Business English Certificate) Preliminary			
LIVELLO 3 B2		BEC (Business English Certificate) Intermediate		ZDfB (Zertifikat Deutsch für den Beruf)	CEN (Certificado de Español de los Negocios)
LIVELLO 4 C1	**CIC (Certificato di Italiano Commerciale) avanzato**	BEC (Business English Certificate) Advanced		PWD (Prüfung Wirtschaftsdeutsch International)	
LIVELLO 5 C2			DSEC (Diplome Supérieur d'Etudes Commerciales)		DEN (Diploma de Español de los Negocios)

LE INDICAZIONI DI CAPACITA'

I livelli sono definiti attraverso una serie di indicazioni di capacità che descrivono ciò che chi usa una lingua straniera ad un determinato livello **è effettivamente in grado di fare**.

Le indicazioni sono state ripartite in 40 categorie, definite in base al contesto d'uso della lingua.
Lo schema seguente propone un campione esemplificativo delle capacità tipiche richieste a chi interagisce in un ambiente lavorativo, distribuite sui 6 livelli in cui si articola il Quadro di Riferimento dell'ALTE.

Le indicazioni di capacità sono ripartite in base alle 4 abilità linguistiche: Ascolto / Produzione orale – Lettura – Produzione scritta.

LIVELLI	Ascolto / Produzione orale	Lettura	Produzione scritta
LIVELLO Contatto A1	E' IN GRADO di ricevere e trasmettere messaggi di routine, del tipo "Venerdì mattina, appuntamento alle 10.00"	E' IN GRADO di comprendere brevi relazioni su argomenti familiari o descrizioni di prodotti se espressi in un linguaggio semplice e se i contenuti sono prevedibili	E' IN GRADO di scrivere un semplice messaggio di richiesta ad un collega del tipo "Potrei avere 20 ..., per favore?"
LIVELLO 1 A2	E' IN GRADO di esporre semplici richieste nell'ambito del proprio settore di lavoro, del tipo "Vorrei ordinare 25 pezzi di ..."	E' IN GRADO di comprendere brevi relazioni su argomenti di natura prevedibile nell'ambito del proprio settore di competenza, avendo sufficiente tempo a disposizione	E' IN GRADO di lasciare brevi ed esaustivi messaggi / appunti ad un collega o al referente abituale di un'altra ditta
LIVELLO 2 B1	E' IN GRADO di dare consigli ai clienti su problemi semplici nell'ambito del proprio settore di lavoro	E' IN GRADO di comprendere il significato generale di lettere non di routine e articoli di tipo teorico che riguardano il proprio settore di lavoro	E' IN GRADO di prendere appunti abbastanza accurati durante riunioni o seminari il cui argomento sia familiare e prevedibile
LIVELLO 3 B2	E' IN GRADO di ricevere e trasmettere messaggi anche delicati nel corso di una tipica giornata lavorativa	E' IN GRADO di comprendere la maggior parte della corrispondenza, delle relazioni e del materiale informativo scritto su prodotti di vario tipo con cui potrebbe venire a contatto	E' IN GRADO di occuparsi delle richieste di routine relative a prodotti o servizi vari
LIVELLO 4 C1	E' IN GRADO di contribuire efficacemente a riunioni e seminari nell'ambito del proprio settore di lavoro nonché di esprimersi a favore o contro possibili collaborazioni esterne	E' IN GRADO di comprendere la corrispondenza anche in un linguaggio non standard	E' IN GRADO di affrontare una vasta gamma di situazioni di routine e non di routine nelle quali gli venga richiesto un parere professionale
LIVELLO 5 C2	E' IN GRADO di dare consigli e discutere di problemi delicati e controversi, ad esempio argomenti finanziari o legali, nella misura in cui possiede la competenza specialistica necessaria	E' IN GRADO di comprendere relazioni e articoli relativi al proprio settore di lavoro, compresi concetti di tipo più complesso	E' IN GRADO di prendere appunti completi ed accurati e, nel medesimo tempo, continuare a partecipare attivamente ad una riunione o seminario

LE INDICAZIONI DI CAPACITA' DEL CIC INTERMEDIO

LE FIGURE PROFESSIONALI DI RIFERIMENTO	**CERTIFICATO DI CONOSCENZA DELL'ITALIANO COMMERCIALE LIVELLO INTERMEDIO = B1 / ALTE LIVELLO 2**		
	LE INDICAZIONI DI CAPACITA'*		
	ASCOLTO / PRODUZIONE ORALE	**LETTURA**	**PRODUZIONE SCRITTA**
Il CIC Intermedio certifica la conoscenza dell'italiano commerciale idonea per figure professionali in grado di muoversi autonomamente in un contesto aziendale o organizzativo, anche se nell'ambito di mansioni tipiche del proprio ambito di lavoro. Chi ottiene questo certificato è in grado di trattare dal proprio paese con clienti e fornitori italiani svolgendo mansioni di segreteria o operatore telefonico, può lavorare nella distribuzione dei prodotti e, a livello tecnico, può lavorare ricevendo semplici istruzioni in italiano. L'utente del CIC Intermedio è in grado di affrontare situazioni comunicative sia verbali che scritte, di preferenza limitate al proprio settore di interesse lavorativo.	Chi ottiene il CIC INTERMEDIO **E' IN GRADO DI:** - ricevere e prendere nota di messaggi, purchè l'interlocutore li detti chiaramente e si dimostri disponibile, ad esempio, a ripeterli - capire una presentazione fatta nel corso di una conferenza relativa alla propria area di competenza - fare richieste di routine - porre domande relative all'accertamento di fatti e capire semplici risposte - dare consigli ai clienti su semplici problemi - prendere un ordine di routine - accogliere un visitatore e avviare una breve conversazione	Chi ottiene il CIC INTERMEDIO **E' IN GRADO DI:** - riconoscere e capire il significato generale di una lettera, anche non di routine - comprendere una lettera standard del tipo: ordinazioni, reclami, richieste, etc. - capire il significato di un articolo di stampa, anche teorico - capire un articolo divulgativo purchè il linguaggio usato sia semplice - trarre informazioni applicative ad esempio da un manuale, da grafici e diagrammi	Chi ottiene il CIC INTERMEDIO **E' IN GRADO DI:** - scrivere semplici lettere di routine che dovranno poi essere ricontrollate - scrivere richieste di prodotti, servizi - prendere appunti su istruzioni semplici durante una riunione di lavoro, sfruttando le pause tra un intervento e l'altro - trascrivere un ordine standard con poche imprecisioni, purchè abbia il tempo di ricontrollare l'ordine in base ai desideri del cliente

* Le indicazioni di capacità riportate in questo schema hanno carattere indicativo e non esaustivo

LE PROVE D'ESAME DEL CIC INTERMEDIO

CIC INTERMEDIO – LIVELLO B1

COMPRENSIONE DI TESTI SCRITTI
Durata della prova: 45 minuti
Lunghezza dei testi: circa 1200 parole complessive

Abilità specifica testata	Input	Compito richiesto al candidato	Formato delle risposte
PARTE I Comprensione del significato generale di un testo breve	Brevi testi tratti da documentazione autentica (corrispondenza, messaggi, contratti, stampa di settore, etc.)	Individuare il significato generale espresso dal testo indicando l'opzione corretta	Scelta multipla
PARTE II Comprensione del significato specifico di informazioni tratte da un testo	Tre testi autentici di genere affine	Abbinare al testo di riferimento delle affermazioni tratte da una lista	Abbinamento
PARTE III Comprensione sia del significato generale di un testo che di informazioni specifiche	Un testo tratto da documentazione autentica (corrispondenza, messaggi, contratti, stampa di settore, etc.)	**Compito a)** Attribuire ad ogni paragrafo il titolo più idoneo scelto da una lista **Compito b)** Completare delle frasi inerenti al testo scegliendo il completamento opportuno da una lista	Abbinamento Completamento

CIC INTERMEDIO – LIVELLO B1

PRODUZIONE DI TESTI SCRITTI

Durata della prova: 20 minuti

Abilità specifica testata	Input	Compito richiesto al candidato	Formato delle risposte
Capacità di elaborare un testo scritto svolgendo operazioni del tipo: -esprimere richieste, scuse, lamentele -sollecitare informazioni, direzioni, chiarimenti -dare istruzioni, avvertire	Indicazioni utili per delineare il contesto in cui la comunicazione scritta deve avvenire (oggetto, destinatario, rapporto tra mittente e destinatario, etc.)	Elaborare una comunicazione scritta	Lettera commerciale formale di 100 – 120 parole oppure Comunicazione via e-mail informale di 100 – 120 parole

CIC INTERMEDIO – LIVELLO B1

COMPRENSIONE DI TESTI ORALI Durata della prova: 30 minuti Lunghezza dei testi: circa 1000 parole complessive			
Abilità specifica testata	**Input**	**Compito richiesto al candidato**	**Formato delle risposte**
PARTE I Comprensione del significato generale di un testo	Brevi monologhi relativi ad attività ricorrenti in ambito lavorativo	Abbinare gli argomenti proposti, scegliendoli da una lista, alle figure professionali che li presentano	Abbinamento
PARTE II Comprensione di informazioni specifiche tratte da un testo	Comunicazioni telefoniche	Trascrivere alcune informazioni in apposita scheda (prendere appunti)	Completamento
PARTE III Comprensione sia del significato generale di un testo che di informazioni specifiche	Monologo o conversazione relativi a situazioni ricorrenti in ambito lavorativo	Riferire il testo al contesto appropriato e ricavare alcune informazioni specifiche	Scelta multipla

CIC INTERMEDIO – LIVELLO B1

PRODUZIONE ORALE Durata della prova: 15 minuti circa			
Abilità specifica testata	**Input**	**Compito richiesto al candidato**	**Format della comunicazione**
PARTE I Comunicare oralmente in modo improvvisato e a livello colloquiale	Domande poste dall' interlocutore	Rispondere a domande su argomenti personali senza preventiva preparazione	1 candidato 1 interlocutore 1 esaminatore
PARTE II Interagire oralmente su argomento noto a livello formale. Essere in grado di negoziare, persuadere,etc.	Indicazioni utili per riferire la conversazione ad un preciso contesto (luogo, ruolo dell' interlocutore, situazione, etc.). Il materiale sul quale verterà la conversazione viene consegnato al candidato 10 minuti prima della prova	Interagire con l' interlocutore nella costruzione di un evento comunicativo	1 candidato 1 interlocutore 1 esaminatore
PARTE III Parlare di un argomento noto. Essere in grado di descrivere, argomentare, etc.	Argomento intorno a cui si svilupperà il monologo e indicazioni per contestualizzarlo (ruoli, obiettivi, etc.). Il materiale sul quale verterà il monologo viene consegnato al candidato 10 minuti prima della prova	Monologo	1 candidato 2 esaminatori

Alle quattro prove indicate, si affianca una prova finalizzata alla valutazione della conoscenza sia grammaticale che lessicale del candidato	
Durata della prova: 20 minuti	Lunghezza dei testi: circa 500 parole complessive
La prova prevede 2 test :	Completare delle frasi con elementi mancanti (grammaticali e/o lessicali)
	Completare un testo inserendo negli spazi numerati le parole mancanti

CRITERI DI VALUTAZIONE E PUNTEGGI DEL CIC INTERMEDIO

Gli elaborati scritti dei candidati vengono corretti presso l'Unità di Certificazione dell'Università per Stranieri di Perugia.

La prova orale viene valutata in loco secondo criteri e scale di misurazione predisposti dall'Unità di Certificazione dell'Università per Stranieri di Perugia.

CIC INTERMEDIO - LIVELLO B1				
PROVA	**CRITERI E PUNTEGGI**			**PUNTEGGIO COMPLESSIVO DELLA PROVA**
Comprensione di testi scritti	**Prova I** 1 punto per ogni risposta corretta 0 punti per ogni risposta errata o per l'astensione	**Prova II** 1 punto per ogni abbinamento corretto 0 punti per ogni abbinamento errato o per l'astensione	**Prova III** 1 punto per ogni risposta corretta 0 punti per ogni risposta errata o per l'astensione	**40 punti**
Produzione di testi scritti	**Criteri di valutazione***: competenza lessicale (scala da 1 a 5) competenza morfologica e sintattica (scala da 1 a 5) competenza socioculturale (scala da 1 a 5) coerenza (scala da 1 a 5)			**20 punti**
Comprensione di testi orali	**Prova I** 1 punto per ogni risposta corretta 0 punti per ogni risposta errata o per l'astensione	**Prova II** 1 punto per ogni completamento corretto 0 punti per ogni completamento errato o per l'astensione	**Prova III** 1 punto per ogni risposta corretta 0 punti per ogni risposta errata o per l'astensione	**40 punti**
Produzione orale	**Criteri di valutazione****: appropriatezza comunicativa (scala da 1 a 5) correttezza morfologica e sintattica (scala da 1 a 5) pronuncia e intonazione (scala da 1 a 5) competenza lessicale (scala da 1 a 5)		il punteggio totale è moltiplicato x 3	**60 punti**

CIC INTERMEDIO – LIVELLO B1				
Grammatica e lessico	**Prova I** 1 punto per ogni completamento corretto 0 punti per ogni completamento errato o per l'astensione	**Prova II** 1 punto per ogni completamento corretto 0 punti per ogni completamento errato o per l'astensione		**40 punti**
Punteggio complessivo				**200 punti**
Punteggio minimo per superare l'esame				**120 punti**

* Vedi di seguito scale di competenze e punteggi.

** Vedi scale di competenze e punteggi a pag.17.

ESPRESSIONE DEL RISULTATO	
Il risultato si ottiene sommando i punteggi riportati nelle singole prove e si esprime in gradi. I gradi previsti sono 5: 3 positivi 2 negativi Ogni grado viene indicato con una lettera dell'alfabeto e corrisponde ad una determinata banda di punteggi	grado A = ottimo grado B = buono grado C = sufficiente grado D = insufficiente grado E = gravemente insufficiente

SCALE DI COMPETENZE E PUNTEGGI

PROVE DI PRODUZIONE DI TESTI SCRITTI

COMPETENZA LESSICALE

Si attribuisce il punteggio di	**a un compito che presenta un vocabolario**
5 punti	sempre totalmente adeguato alla situazione. Ricca presenza di vocaboli specialistici del linguaggio commerciale.
4 punti	talvolta inadeguato alla situazione. Buona presenza di vocaboli specialistici del linguaggio commerciale.
3 punti	scarso, con frequenti ripetizioni, talvolta inadeguato. Discreta presenza di vocaboli specialistici del linguaggio commerciale.
2 punti	spesso inadeguato. Scarsa presenza di vocaboli specialistici del linguaggio commerciale.
1 punto	spesso inadeguato e con errori che rendono incomprensibili una o più parti del testo. Nessun ricorso a vocaboli specialistici del linguaggio commerciale.

COMPETENZA MORFOLOGICA E SINTATTICA

Si attribuisce il punteggio di	a un compito che presenta
5 punti	strutture essenziali e quasi corrette (al massimo 2 errori) con un discreto collegamento. Sono ammessi 1-2 errori di concordanza morfologica.
4 punti	alcuni (massimo 3) errori nella costruzione delle frasi e alcuni (massimo 2) errori nella concordanza morfologica, e in cui sono poveri i collegamenti tra parole e frasi.
3 punti	sia le parole che le frasi non ben collegate tra loro, ma in cui è sempre rispettata la correlazione dei tempi. Sono ammessi al massimo 3 errori nella costruzione delle frasi e al massimo 3 errori nella concordanza morfologica.
2 punti	scarsi collegamenti interfrasali e in cui non è rispettata la correlazione dei tempi. Presenza di errori (4) di concordanza morfologica.
1 punto	errori di concordanza morfologica e/o nella correlazione dei tempi tali da rendere incomprensibili una o più parti del testo.

COMPETENZA SOCIOCULTURALE

Si attribuisce il punteggio di	a un compito che presenta
5 punti	espressioni sempre corrette, adeguate alla situazione e pertinenti ad un contesto commerciale.
4 punti	qualche errore che non rende però mai l'espressione inadeguata alle relazioni di ruolo in un contesto commerciale.
3 punti	moduli espressivi adeguati alle relazioni di ruolo in un contesto commerciale, anche se è talvolta necessaria la rilettura di parti del testo per comprendere ciò che il candidato vuole dire.
2 punti	moduli espressivi talvolta inadeguati in una o più parti del testo e poco pertinenti ad un contesto commerciale. Le intenzioni non sono sempre comprensibili chiaramente.
1 punto	errori che rendono spesso inadeguata l'espressione o incomprensibili le intenzioni. Nessuna pertinenza ad un contesto commerciale.

COERENZA

Si attribuisce il punteggio di	a un compito che è svolto
5 punti	totalmente e che è ben organizzato da un punto di vista logico.
4 punti	totalmente anche se le varie parti non hanno uno sviluppo equilibrato. Il compito presenta un buon ordine logico.
3 punti	totalmente anche se con qualche omissione (non rilevante ai fini della sua realizzazione). Il compito presenta un ordine logico appena sufficiente.
2 punti	solo in parte (uno o più punti indicati non sono svolti) e/o che non è ben organizzato da un punto di vista logico.
1 punto	solo in parte e in cui si nota l'incapacità di comprendere quanto richiesto.

PROVE DI PRODUZIONE ORALE

COMPETENZA LESSICALE

Si attribuisce il punteggio di	ad un candidato che si esprime utilizzando un lessico
5 punti	sempre adeguato alla situazione.
4 punti	sempre adeguato anche se talvolta si nota uno sforzo nella ricerca delle parole.
3 punti	adeguato anche se talvolta (2 o 3 casi) necessita di suggerimenti da parte dell'interlocutore.
2 punti	povero e limitato (ripetizioni eccessive, lunghe esitazioni per la ricerca delle parole, ecc.).
1 punto	limitato e inadeguato.

APPROPRIATEZZA COMUNICATIVA

Si attribuisce il punteggio di	ad un candidato che si esprime
5 punti	in maniera adeguata alla situazione e partecipando attivamente alla conversazione.
4 punti	in maniera adeguata alla situazione.
3 punti	in maniera adeguata alla situazione rispondendo, anche se con qualche esitazione, agli interventi, e non limitando mai l'interscambio al minimo.
2 punti	in maniera non adeguata alla situazione e con scarsa efficacia comunicativa.
1 punto	in maniera non adeguata alla situazione. Sono necessari interventi per aiutarlo a portare a termine il compito.

CORRETTEZZA MORFOLOGICA E SINTATTICA

Si attribuisce il punteggio di	ad un candidato che si esprime
5 punti	in maniera corretta e con un buon collegamento tra gli enunciati.
4 punti	in maniera corretta anche se si nota qualche difficoltà nel collegare gli enunciati.
3 punti	in maniera corretta anche se essenziale e con minimo sviluppo strutturale.
2 punti	commettendo errori (2 o 3) che disturbano l'ascoltatore.
1 punto	commettendo numerosi errori che disturbano l'ascoltatore.

PRONUNCIA E INTONAZIONE

Si attribuisce il punteggio di	ad un candidato che si esprime
5 punti	con una buona pronuncia, con intonazione sempre adeguata; il ritmo è accettabile.
4 punti	con una buona pronuncia e con intonazione sempre adeguata; non sempre il ritmo è accettabile.
3 punti	con una pronuncia che tradisce ancora la sua provenienza linguistica ma con una intonazione adeguata; non sempre il ritmo è accettabile.
2 punti	con errori di pronuncia e/o intonazione; il ritmo è inaccettabile.
1 punto	con errori di pronuncia e di intonazione che rendono incomprensibile il messaggio; il ritmo è inaccettabile.

COME PREPARARSI ALL'ESAME PER IL CONSEGUIMENTO DEL CIC - CERTIFICATO DI CONOSCENZA DELL'ITALIANO COMMERCIALE

Livello intermedio I

A chi si rivolge il testo

Obiettivo primario del presente volume è quello di permettere al candidato di familiarizzare con le tipologie delle prove previste dall'esame CIC INTERMEDIO e di confrontarsi con generi testuali e compiti in esso contemplati.

Le attività proposte rappresentano uno strumento a sostegno della preparazione all'esame per chi è già in possesso di conoscenze linguistiche e competenze comunicative che gli /le permettono di interagire in ambiti aziendali ed organizzativi in riferimento a quanto previsto dal livello 2 dell'ALTE (vedi schema a pag.11).

La ricchezza dei testi autentici proposti e le attività relative alle 4 abilità linguistiche di base fanno sì che questo volume si presti anche ad essere utilizzato come strumento didattico di sostegno in un corso di italiano commerciale ad un livello intermedio, prescindendo dalla preparazione specifica all'esame CIC.

La struttura del testo

Il volume si articola in 5 unità strutturate nel modo seguente:

Unità 1 – Unità 2 – Unità 3 – Unità 4

Ogni unità raccoglie **tutti** i compiti previsti dal CIC intermedio senza però rispettarne la sequenza imposta dal regolamento d'esame. I compiti si susseguono alternando fasi di ascolto a fasi di lettura, interventi orali a produzione scritta, seguendo un'armonia dettata dagli argomenti trattati e rendendo più vivace e partecipativo lo svolgimento delle attività.

Le unità sono tematiche. Ognuna riguarda un particolare argomento relativo ad ambiti aziendali ed è divisa in capitoli che si riferiscono a specifici campi di attività:

Unità 1 – **Lavorare in un'azienda** Cercare un lavoro – La formazione e l'aggiornamento – Compiti e mansioni - Esperienze
Unità 2 – **Rapporti esterni all'azienda** Clienti e fornitori
Unità 3 – **Sulla scrivania** Rapporti con banche e assicurazioni – La gestione dell'ufficio

Unità 4 – La promozione dei prodotti Le fiere – La pubblicità
La struttura di queste unità permette a studenti ed insegnanti di ricavare interessanti spunti che, al di là dell'attività di esercitazione alla prova d'esame, rappresentano occasione di approfondimento e di discussione relativi alla cultura aziendale e al mondo del lavoro in Italia.

Unità 5
L'unità prevede una miscellanea di argomenti trattati ed è strutturata come una vera e propria prova dell'esame CIC rispettandone con precisione:
- la sequenza dei compiti
- il numero degli item
- la lunghezza dei testi

Si consiglia pertanto di affrontare questa unità conclusiva come una sperimentazione effettiva dell'esame CIC, svolgendola in un'unica soluzione nel rispetto dei tempi previsti dal regolamento d'esame (vedi pagg.12-13-14).

COME UTILIZZARE IL TESTO

I compiti contraddistinti dai seguenti simboli

 (ascolto)  (comprensione della lettura) 

(grammatica e lessico)

vengono svolti individualmente.
Le risposte seguono criteri esclusivamente oggettivi e sono riportate da pag.127 (chiavi).
Questi compiti non necessitano dell'intervento di un insegnante in fase di correzione e di formulazione di un giudizio e pertanto si prestano anche ad una preparazione individuale.

I compiti contraddistinti dal seguente simbolo

 (produzione scritta)

vengono svolti individualmente e prevedono la correzione ed il relativo giudizio da parte di un insegnante.
In fase di formulazione del giudizio si consiglia agli insegnanti di attenersi alla scala di competenze e punteggi prevista dal CIC intermedio (vedi pagg.15-16).

I compiti contraddistinti dal seguente simbolo

 (produzione orale – monologo)

vengono svolti individualmente di fronte alla classe e ad un insegnante che dovrà giudicare la prova.
In fase di formulazione del giudizio si consiglia agli insegnanti di attenersi alla scala di competenze e punteggi prevista dal CIC intermedio (vedi pagg.17-18).

I compiti contraddistinti dal seguente simbolo

 (produzione orale – compito comunicativo)

vengono svolti in coppie (due studenti o uno studente e l'insegnante che dovrà giudicare la prova).
In fase di formulazione del giudizio si consiglia agli insegnanti di attenersi alla scala di competenze e punteggi prevista dal CIC intermedio (vedi pagg.17-18).

Lavorare in un'azienda

U1

UNITÀ 1

Cercare un lavoro - La formazione e l'aggiornamento - Compiti e mansioni - Esperienze

Corriere della Sera
CORRIERE
Ostaggi, la notte delle
L'IRAQ DELLE TRIBÙ FRA SUNNITI E SCIITI
307 SW
CHE RISPETTA IL CIELO
307
PEUGEOT

Cercare un lavoro

Lavorare in un'azienda significa innanzitutto... trovare un posto di lavoro in un'azienda!
In Italia gli annunci di ricerca del personale sono di solito pubblicati nei giornali specializzati o in Internet.

Leggi gli annunci di ricerca del personale che seguono e svolgi i compiti richiesti.

A. **Leggere** e comprendere

Leggere i due annunci e indicare con X la lettera A, B o C corrispondente all'affermazione corretta fra le tre proposte.

PRIMO ANNUNCIO

AZIENDA per l'erogazione di ACQUA e GAS ricerca:

NEO/GIOVANE INGEGNERE

con specializzazione in termotecnica o ambientale da adibire a compiti di carattere

TECNICO COMMERCIALE

La selezione è indirizzata a Candidati con pregresse competenze (1/3 anni) nel campo delle vendite o a giovani Laureati anche al primo impiego o con brevi esperienze di lavoro, purché fortemente motivati a realizzarsi professionalmente in ambito commerciale.
La posizione comporta un'attività di promozione e sviluppo dei servizi della Società nei confronti di un mercato potenziale costituito da Aziende e Operatori specializzati del settore.
Spiccate doti relazionali, capacità di operare in autonomia e l'abitudine al lavoro di gruppo completano i requisiti.

L'offerta è rivolta a chi

☐ A ha acquisito una buona esperienza in ambito tecnico
☐ B aspira ad una crescita professionale nel settore vendite
☐ C è un libero professionista nel campo delle public relations

SECONDO ANNUNCIO

CERCHIAMO IMPIEGATA

La candidata ideale è colei che sarà in grado di gestire i rapporti con i fornitori, che si occuperà dell'inserimento dei dati ad essi relativi e della gestione dell'arrivo della merce, oltre che del controllo delle scorte di magazzino.
E' gradita una precedente esperienza in ruoli analoghi.
Si richiede una buona conoscenza della lingua inglese.
E' necessario possedere una buona padronanza del pacchetto Office e di Excel in particolare ed essere in grado di digitare velocemente.
Titolo di studio: Diploma.
Età: 20-26 Anni.
Patente di tipo B.
L'azienda ha sede nella Provincia di Novara e saranno particolarmente gradite le candidature provenienti da quella zona o da zone limitrofe.

24

La persona assunta si occuperà

- ☐ A di questioni amministrative e gestionali
- ☐ B di attività di marketing e di gestione delle vendite
- ☐ C di applicazioni di sistemi informativi

Ti piacerebbe lavorare in Italia? Magari nel settore della moda o del commercio delle auto sportive? Svolgi allora il compito seguente.

B. Scrivere

Scrivere una lettera in risposta ad uno dei seguenti annunci di lavoro (a scelta) proponendo la propria candidatura. (circa 100 parole)

NUOVA CONCESSIONARIA FERRARI
ZONA CENTRO ITALIA

In occasione della prossima apertura

RICERCA:
1 IMPIEGATA/O AMMINISTRATIVA/O - BACK OFFICE

SI RICHIEDONO:
-formazione media/superiore maturata in ambito amministrativo;
-un'esperienza professionale nel campo di almeno tre anni;
-abilità nell'utilizzo dei principali sistemi informativi;
-conoscenza di una seconda lingua;
-ottima capacità nella gestione dei rapporti interpersonali;

Inviare lettera di candidatura allegando curriculum dettagliato a:
Auto Sport
Via Garibaldi, 18
ROMA

FIGURA PROFESSIONALE RICHIESTA:
RESPONSABILE ALL' EXPORT

RAGIONE SOCIALE: Moda Domani Spa
ATTIVITA': Abbigliamento Import/Export

INDIRIZZO: Via Cavour, 18
SEDE DI LAVORO: Milano

Si cerca Responsabile alle attività di export, diplomato, giovane e dinamico.
Non si richiede specifica esperienza nel campo della moda, ma si richiede altresì conoscenza lingua inglese, conoscenze informatiche basilari, determinazione.
Assunzione immediata con contratto formazione lavoro e possibilità successiva di contratto tempo indeterminato. La ricerca è rivolta ad ambosessi.

Inviare lettera di candidatura con allegato curriculum

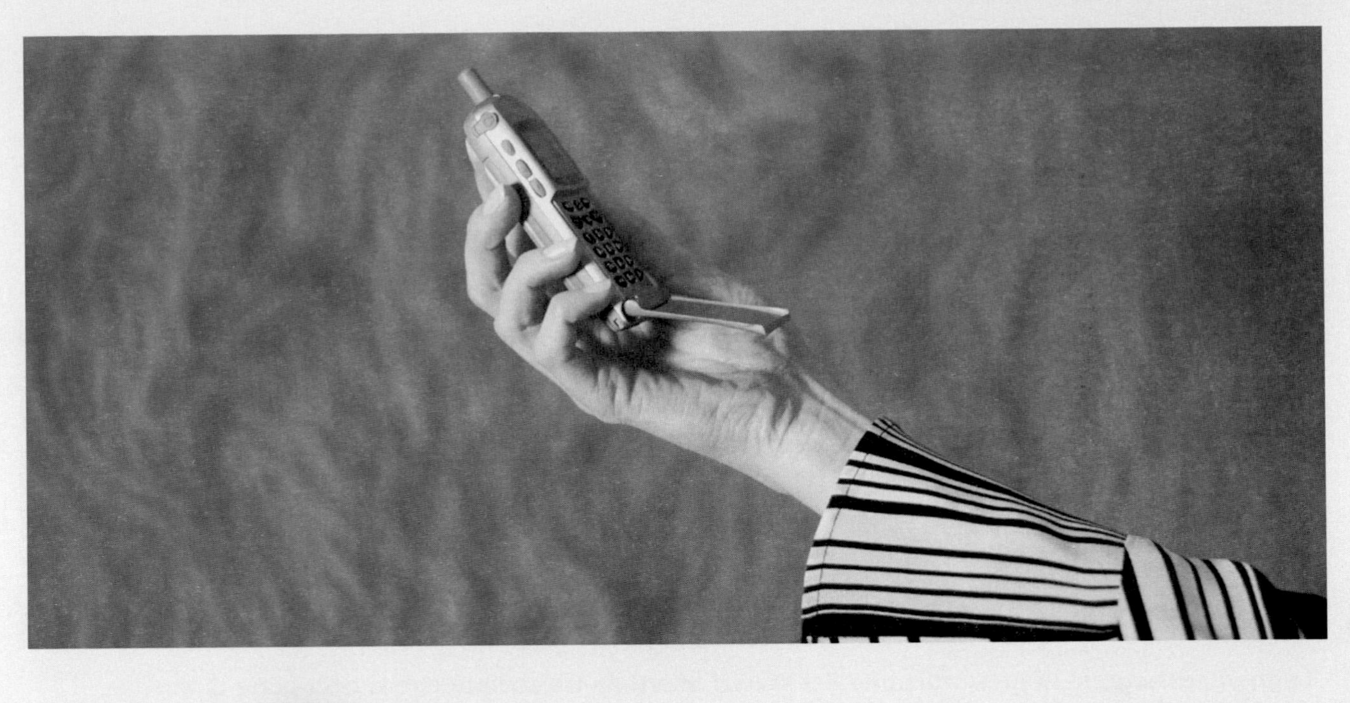

C. Parlare

La ditta a cui hai proposto la tua candidatura ti convoca per un colloquio.
Lavora con un compagno o con l'insegnante. Insieme simulate il colloquio di lavoro.

Gli annunci nei giornali e in Internet non sono l'unico modo per far incontrare la domanda e l'offerta nel mercato del lavoro. Anche in Italia nascono sempre più società specializzate che si occupano di ricerca e selezione del personale per conto delle aziende.

Leggerai di seguito la presentazione dei servizi offerti da tre società che si occupano di ricerca e selezione del personale per conto delle aziende.
Leggi i testi e svolgi il compito richiesto.

D. **Leggere** e comprendere

Leggere i testi indicati con A , B e C.
Abbinare le informazioni di seguito elencate al testo relativo, barrando la casella A se l'informazione è relativa al testo A, le caselle B o C se le informazioni sono relative ai testi B o C.

TESTO A

La forza del nostro Gruppo nasce dall'unione di quattro società di consulenza specializzate nella ricerca e selezione del personale.
Le aziende che si rivolgono a noi possono così entrare in contatto con un solo referente e, attraverso questo, raggiungere contemporaneamente quattro archivi tra di loro collegati per un totale di oltre 70.000 nominativi.
Visitando il nostro sito sarà possibile esaminare immediatamente alcuni dei profili più interessanti attraverso una facile consultazione. Richieste personalizzate per profili specifici potranno comunque essere rivolte direttamente al nostro Gruppo.
Una volta individuato il candidato d'interesse, l'azienda non dovrà fare altro che segnalarlo e passare al successivo contatto diretto.
L'esplorazione della banca dati è completamente gratuita; l'eventuale assunzione di personale comporterà un costo conforme alle normali procedure di ricerca e selezione.

TESTO B

MCM Selezione (Management Consultancy & Media) nasce nel 1989 ad opera di alcuni professionisti che operavano da anni all'interno della Divisione Selezione di una delle maggiori società di consulenza italiane.
La Società conta oggi un organico di 30 professionisti in esclusiva e a tempo pieno, che si occupano di Ricerca, Selezione e Valutazione delle Risorse Umane. La clientela è rappresentata da Società nazionali ed internazionali, di grandi, medie e piccole dimensioni e appartenenti a tutti i settori merceologici.
MCM Selezione è articolata sul territorio con uffici a Milano, sede centrale e amministrativa, Torino, Padova,

Bologna e Roma. MCM Selezione si occupa di Ricerca e Selezione di personale qualificato (Top Management, Management, Professional, Giovani e Staff) ed è tra i leader di mercato del settore.

Questo il modo di operare di MCM Selezione:
alle Società Committenti sono sempre richiesti dati anagrafici ed informazioni approfondite sulla loro specifica attività, anche in merito ai risultati conseguiti ed alle previsioni future. I Candidati vengono contattati, incontrati direttamente presso gli uffici di MCM, valutati e presentati ai Clienti solo se in linea con i requisiti richiesti. MCM Selezione opera nel rispetto della legge 675/96 sulla privacy, non fornisce i dati delle Aziende ai Candidati e viceversa, se non dopo specifica autorizzazione degli stessi.

Tutte le informazioni contenute nei CV sono considerate altamente confidenziali, compresi il luogo attuale di lavoro e le eventuali aziende con le quali non si desidera entrare in contatto.

(tratto da www.mcmselezione.it)

TESTO C

DOA CONSULT assiste le aziende industriali, commerciali e di servizi nelle attività di Ricerca e Selezione di Risorse Umane da effettuare sull'intero territorio nazionale.

L'ampia disponibilità di profili professionali selezionati negli anni e la profonda conoscenza del mercato del lavoro di riferimento ci consentono di individuare il candidato giusto per la posizione da coprire.

La nostra metodologia di selezione prevede:
- definizione del contenuto della posizione di lavoro, del profilo del candidato, della fascia retributiva di riferimento e di tutte le altre caratteristiche richieste dalla posizione;
- individuazione ed applicazione della metodologia di ricerca e selezione più adatta alle necessità: ricerca diretta, ricerca da archivio, ricerca con inserzioni, altro;
- valutazione dei candidati, definizione e presentazione della rosa finale, affiancamento nei colloqui diretti;
- assistenza nella definizione delle condizioni di inserimento del candidato prescelto;
- assistenza nella fase di accoglimento in azienda del candidato prescelto.

(tratto da www.doaconsult.it)

	A	B	C
1) I professionisti che lavorano all'interno della società di consulenza hanno maturato anni di esperienza nel settore	☐	☐	☐
2) La società di consulenza opera anche all'estero	☐	☐	☐
3) La società di consulenza è costituita dall'unione di più società	☐	☐	☐
4) I clienti possono consultare il sito Internet per trovare il candidato ideale	☐	☐	☐
5) I dati forniti dai clienti sono trattati con garanzia di riservatezza	☐	☐	☐
6) Ricercano il personale da selezionare attraverso vari canali	☐	☐	☐
7) La prima fase del servizio non è a pagamento	☐	☐	☐
8) La società offre consulenza fino alla fase di assunzione del personale selezionato	☐	☐	☐
9) Prima di contattare i candidati da selezionare vogliono conoscere bene l'azienda che commissiona il servizio	☐	☐	☐

La formazione professionale e l'aggiornamento

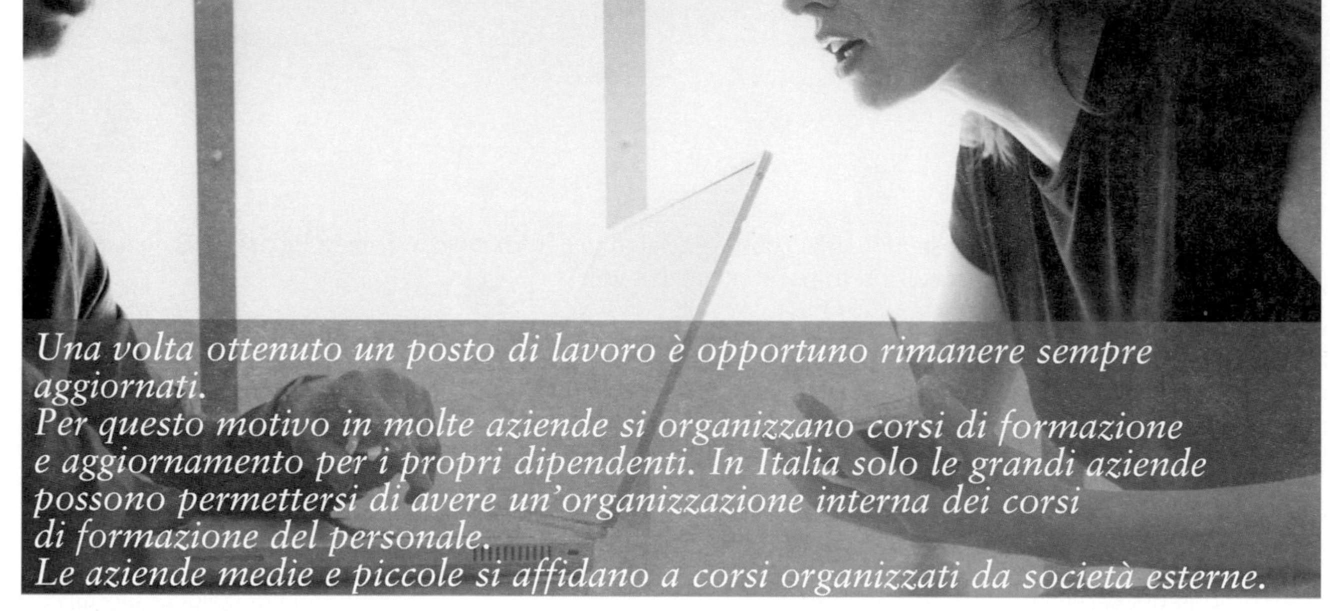

I due testi che seguono sono la presentazione di due corsi per segretari/ie e impiegati esperti di WEB marketing.
Leggi i testi e svolgi i compiti richiesti.

E. **Leggere** e comprendere

Leggere i due testi e indicare con X la lettera A, B o C corrispondente all'affermazione corretta fra le tre proposte.

PRIMO TESTO

Organizzare l'Attività in Segreteria
Perché partecipare
Da sempre, essere un assistente o un/a segretario/a significa possedere competenze e capacità nel campo dell'organizzazione personale e professionale. In particolare, il rigore e il metodo sono essenziali per gestire con efficacia l'attività di segreteria.
Dal momento che il carico di lavoro è notevole, occorre sempre agire velocemente, anticipare le domande e le necessità e organizzare il proprio lavoro in modo da ridurre o sopprimere compiti improduttivi.
Lo stage si propone di farvi riflettere sulle vostre abitudini di lavoro. Vi offrirà strumenti pratici e concreti che vi permetteranno di trovare delle soluzioni efficaci per superare brillantemente ogni difficoltà.

Lo stage è rivolto a segretari e segretarie che vogliono imparare a

☐ A acquisire un ruolo più importante
☐ B gestire nel modo migliore il proprio tempo
☐ C cambiare le proprie abitudini di lavoro

SECONDO TESTO

WEB MARKETING

Perché partecipare

Negli ultimi anni la maggior parte delle aziende ha sviluppato un proprio sito Internet: per farsi conoscere, per vendere i propri prodotti, per comunicare con i propri clienti. Molte aziende, però, non hanno ottenuto da questi investimenti i risultati sperati.
Le troppe aspettative e la difficoltà nell'utilizzare tutte le potenzialità di un nuovo mezzo sono certamente fra i motivi di questa insoddisfazione.
Oggi le potenzialità (e i limiti) di Internet a supporto del business aziendale sono molto più chiare e si è compreso che Internet è più un mezzo per comunicare che non per fare pubblicità o per vendere on-line.
Il seminario fornisce gli strumenti per sviluppare un sito efficace dal punto di vista commerciale, dedicando particolare attenzione a come creare e mantenere un rapporto intenso e costruttivo con i clienti acquisiti e potenziali, utilizzando gli strumenti di comunicazione che Internet mette a disposizione.

(tratto da ISTUD – Catalogo corsi di formazione anno 2002)

Questo corso di Web marketing

☐ A insegnerà le tecniche per trovare nuovi clienti on-line
☐ B è rivolto a chi ha difficoltà a fare acquisti tramite Internet
☐ C permetterà di conoscere le vere potenzialità di Internet

Compiti e mansioni

Ascolterai dalle parole di una segretaria di un'azienda italiana tutto quello che è successo nel suo ufficio durante un'intensa giornata di lavoro.

Ascolta i testi che seguono e svolgi il compito richiesto.

F. **Ascoltare** e comprendere

Ascolterai una segretaria che racconta ad un'amica alcune attività svolte durante un'intensa giornata di lavoro (elencate nella lista A-G).
Scegli l'attività relativa ad ognuna delle 5 affermazioni e trascrivi la lettera corrispondente nell'apposito spazio.
(Ascoltare i testi due volte)

Affermazione n. 1 ....
Affermazione n. 2 ....
Affermazione n. 3 ....
Affermazione n. 4 ....
Affermazione n. 5 ....

A. modificare un ordine
B. prendere appuntamenti
C. riferire messaggi
D. presentare un reclamo
E. scrivere un verbale
F. scrivere un ordine del giorno
G. spedire una convocazione

Ancora tante cose da fare in ufficio per la nostra amica.
Questa volta il capo le ha lasciato un messaggio sulla scrivania elencando una serie di compiti da svolgere.
Purtroppo la scrittura del capo non è leggibile e alcune parole non sono comprensibili.
Aiuta la nostra amica a ricostruire correttamente il messaggio del capo svolgendo il compito seguente.

G. Grammatica e lessico

Completare il testo. Inserire la parola mancante negli spazi numerati. Usare una sola parola.

Gent. Sig.ra Berti,

Le ricordo .... (1) martedì e mercoledì della prossima .... (2) sarò .... (3) Bari per incontrarmi con alcuni espositori della Fiera del Levante. Le chiederei di prenotare al .... (4) presto il posto in aereo e una stanza in un albergo, possibilmente nelle vicinanze .... (5) Fiera. La prego anche di confermare gli .... (6) con i nostri clienti per mercoledì mattina.
Per cortesia, mi .... (7) trovare sulla scrivania il catalogo e la piantina della Fiera.
Molte .... (8) e buon lavoro!

E ora la nostra amica viene convocata nell'ufficio del capo che deve darle a voce alcune istruzioni. Per ricordare tutto con precisione la nostra amica dovrà prendere alcuni appunti. Dalle una mano tu, svolgendo il compito seguente.

H. **Ascoltare** e comprendere

Ascolterai il capo che dà alcune istruzioni alla segretaria in vista di un futuro viaggio d'affari. Riempi gli appositi spazi con le informazioni opportune. (Ascoltare il dialogo due volte).

Viaggio in Germania Sig. Bianchi

Giorno partenza (1) .... dopo le ore (2) ....

Giorno ritorno (3) ....

Destinazione volo (4) ....

All'aeroporto prenotare (5) ....

Prenotazione hotel: giorno: (6) .... città: (7) ....

giorno: (8) .... città: (9) ....

Inviare fax per fissare appuntamento con:

Sig. Schmidt: giorno: (10) .... ore: (11) ....

Sig. Mueller: giorno: (12) .... ore: (13) ....

Informarsi su: (14) ....

....

Sulla scrivania di una segretaria ci sono sempre fogli e foglietti con tanti messaggi e istruzioni per mansioni da svolgere.

Di seguito troverai alcuni brevi messaggi lasciati sulla scrivania di una segretaria. Il tuo compito sarà quello di completare i testi con le parole mancanti.

I. **Grammatica** e lessico

Scegliere la parola opportuna, tra le quattro proposte, per completare le seguenti frasi. Trascrivere la lettera corrispondente alla parola scelta nell'apposito spazio.

1. Gent. Sig.ra Nardi, affido a Lei l'incarico … fissare l'appuntamento di giovedì.
   - ☐ A. per ☐ B. a ☐ C. di ☐ D. del

2. Per cortesia, ... via fax la prenotazione della camera d'albergo.
   - ☐ A. raffermi ☐ B. confermi ☐ C. riferisca ☐ D. ridica

3. Si ricordi di avvisare la Dott.ssa Rossi che sono costretta ... rimandare il viaggio.
   - ☐ A. di ☐ B. da ☐ C. per ☐ D. a

4. Chiarisca nell'annuncio che cerchiamo venditori con una consolidata ...
   - ☐ A. attività ☐ B. specialità ☐ C. professionalità ☐ D. professione

5. Non dimentichi di avvertire il Dott. Risa che non potrò incontrarlo a causa di ... impegni.
   - ☐ A. procedenti ☐ B. preceduti ☐ C. precedenti ☐ D. preminenti

6. Telefoni alla Signora Rossi e ...confermi le condizioni di vendita e di consegna.
   - ☐ A. ci ☐ B. la ☐ C. le ☐ D. gli

7. Non dimentichi di precisare che la spedizione è stata effettuata … indirizzo di Brindisi.
   - ☐ A. nell' ☐ B. sull' ☐ C. dall' ☐ D. all'

Esperienze

Chi ha lavorato per tanti anni ha tante cose da raccontare.

Ascolterai di seguito le parole di Matilde, una donna italiana che ci racconta le esperienze di lavoro della sua vita.
Ascolta il testo e svolgi il compito richiesto.

L. **Ascoltare** e comprendere

Ascoltare il testo due volte.
Indicare con X la lettera A, B, o C corrispondente all'affermazione corretta fra le tre proposte.

1. Dopo la scuola Matilde

☐ A ha lavorato in banca per due anni
☐ B ha cercato un lavoro in banca
☐ C ha fatto qualche esame all'università

2. Nell'azienda dello zio Matilde

☐ A ha occupato da subito la posizione di responsabile amministrativa
☐ B è subentrata dopo un anno nel ruolo di responsabile amministrativa
☐ C è stata assunta come aiuto del responsabile amministrativo

3. Matilde

☐ A poteva contare sull'aiuto di consulenti esterni all'azienda
☐ B aveva dei problemi nel tenere da sola la contabilità dell'azienda
☐ C si occupava di tutte le questioni amministrative eccetto il bilancio

4. Attualmente l'orario ufficiale di lavoro di Matilde

☐ A non prevede una pausa per il pranzo
☐ B termina alle quindici e trenta
☐ C è stabilito in base alle esigenze dell'azienda

Svolgi allora il compito seguente.

M. Parlare

Per chi ha già avuto un'esperienza di lavoro in un'azienda.

Racconta ai tuoi compagni e all'insegnante la tua esperienza di lavoro.
Descrivi l'ambiente lavorativo, il tuo ruolo, le mansioni che svolgevi, etc.

Per chi ancora non ha avuto alcuna esperienza di lavoro in un'azienda.

Racconta ai tuoi compagni e all'insegnante le tue aspettative e le tue aspirazioni per un lavoro futuro.

Leggi attentamente il testo e svolgi i compiti indicati di seguito.

N. **Leggere** e comprendere

Le donne guadagnano il 20% in meno degli uomini

1) A parità di prestazioni le donne, in media, guadagnano il 20% in meno degli uomini. Questo il risultato di una ricerca curata da «Iter» per il Ministero del Lavoro e presentata oggi.
Se si considera il numero complessivo degli occupati, il divario è ancora più ampio: i salari femminili, infatti, sono più bassi del 37% rispetto a quelli maschili. E questo per un motivo molto semplice: gli uomini hanno spesso lavori più qualificati e meglio retribuiti.

2) Nelle qualifiche più elevate, del resto, le donne sono poco presenti, mentre sono molto più numerose nei cosiddetti lavori precari e nelle mansioni più basse, dove percepiscono retribuzioni esigue e hanno periodi di discontinuità lavorativa.

3) Inoltre le donne ricevono anche pensioni più basse di quelle degli uomini. Stando alla ricerca, tra coloro che ricevono pensioni dall'INPS (Istituto Nazionale della Previdenza Sociale) le donne percepiscono assegni pari al 57% di quelli degli uomini.

4) «L'esistenza del cosiddetto "soffitto di cristallo" - si legge nella ricerca - è documentata. Le donne non riescono ad accedere ai livelli manageriali che spetterebbero loro per età, anzianità e qualifica.
La probabilità per una donna di accedere a queste posizioni è fino a sette volte inferiore rispetto a quella di un collega con le stesse caratteristiche.»

(30 marzo 2001)
(tratto da www.rassegna.it)

Compito n. 1

Scegliere dalla lista A-F il titolo più adatto per ciascuno dei quattro paragrafi in cui è diviso il testo. Trascrivere la lettera corrispondente nell'apposito spazio.

Paragrafo 1 ....

Paragrafo 2 ....

Paragrafo 3 ....

Paragrafo 4 ....

A. Minori possibilità di carriera

B. Più disoccupate che disoccupati

C. Minore sicurezza del posto di lavoro

D. Vecchiaia meno garantita

E. Maggiori possibilità di licenziamento

F. Salari più bassi

Compito n.2

Scegliere dalla lista G-N la parola più adatta a completare le frasi. Trascrivere la lettera corrispondente nell'apposito spazio.

Il contratto di lavoro prevede 14 (1) .... retribuite.

Il contratto prevede il versamento di 1/3 dei (2) .... previdenziali a carico del lavoratore.

I lavoratori con figli a carico hanno diritto di ricevere gli (3) .... familiari.

Lo stipendio netto in busta (4) .... è pari a € 1.220.

G. mensilità
H. chiusa
I. assegni
L. paga
M. oneri
N. contributi

Rapporti esterni all'azienda

U2

UNITÀ 2

Clienti e fornitori

Clienti e fornitori

All'esterno dell'azienda si comunica principalmente con i clienti e i fornitori. Prendere accordi, negoziare un prezzo, esporre una lamentela... tante sono le situazioni che mettono a contatto clienti e fornitori.

Il dialogo che ascolterai si svolge tra cliente e fornitore e riguarda il momento in cui vengono presi accordi in merito a prezzi e condizioni di pagamento per la vendita di una partita di merci. Ascolta il dialogo e svolgi il compito richiesto.

A. **Ascoltare** e comprendere

Ascoltare il dialogo due volte.
Riempire gli appositi spazi con le informazioni opportune.

Saldo merci	(a)	€		
1° tranche	(b)	€	Sconto (c)	
2° tranche	(d)	€	Sconto (e)	
1° consegna	(f)	Data		
Modalità di pagamento	(g)	Acconto di €		
		Saldo al		
2° consegna	(h)	Data		
Modalità di pagamento	(i)	I rata €		
		II rata €		
		III rata €		
Titolo di pagamento:	(l)	*Assegni*		

Quando si lavora è possibile commettere degli errori (...e chi non sbaglia mai?). Quando l'errore riguarda un rapporto commerciale con un cliente è consigliabile correre subito ai ripari!

Il compito seguente ti pone di fronte ad una delicata situazione.

B. Parlare

Sei il responsabile alle vendite di una piccola azienda che produce capi di maglieria.
Un cliente molto importante effettua il seguente ordine:

Il Telaio
Via Condotti 8
00100 Roma

Spett.le
Maglificio Artigianale
Via dell'Industria 8
51000 Prato

OGGETTO: Ordine capi di maglieria

Spett.le Ditta,
Vi preghiamo di prendere nota della seguente ordinazione:

articolo	descrizione	colore	quantità	taglie
FL 221	Golfino manica lunga donna	rosso	5	3 taglia 40 2 taglia 42
FL 222	Golfino manica lunga donna	verde	6	2 taglia 40 2 taglia 42 2 taglia 44
MP 145	Pullover manica lunga uomo – collo a V	nero	6	3 taglia 48 3 taglia 50
MG 154	Pullover manica lunga uomo- girocollo	nero	4	2 taglia 48 2 taglia 50

Termini di consegna e prezzi: come pattuito telefonicamente con Vs. Responsabile Vendite.
Distinti saluti.

Il Telaio
Il Direttore

Tu, erroneamente, comunichi al magazzino di effettuare la seguente spedizione:

articolo	descrizione	colore	quantità	taglie
FL 223	Golfino manica lunga donna	**giallo**	5	3 taglia 40 2 taglia 42
FL 222	Golfino manica lunga donna	verde	6	2 taglia 40 2 taglia 42 2 taglia 44
MP 145	Pullover manica lunga uomo – collo a V	nero	**8**	**4** taglia 48 **4** taglia 50
MG 154	Pullover manica lunga uomo- girocollo	nero	4	2 taglia 48 2 taglia 50

Chiama il cliente e cerca di risolvere il problema prima che la merce gli arrivi (proponi uno sconto sulla merce già inviata, oppure assicura l'invio dei capi corrispondenti all'ordine a carico del mittente, etc.).

Lavora con un compagno o con l'insegnante. Insieme simulate la telefonata.

Per essere chiari e non lasciare spazio agli equivoci, in un rapporto commerciale è sempre meglio mettere tutto "nero su bianco".

Di seguito troverai frasi tipiche della corrispondenza commerciale italiana. Leggi le frasi e svolgi il compito richiesto.

C. **Grammatica** e lessico

Scegliere la parola opportuna, tra le quattro proposte, per completare le seguenti frasi. Trascrivere la lettera corrispondente alla parola scelta nell'apposito spazio.

1. Provvederemo al .... della fattura entro la fine di ottobre.
   - [ ] A. versamento
   - [ ] B. saldo
   - [ ] C. bonifico
   - [ ] D. compenso

2. Per ordini superiori a €5000 possiamo accordarVi uno sconto .... 10% sui prezzi di listino.
   - [ ] A. sul
   - [ ] B. del
   - [ ] C. al
   - [ ] D. dal

3. Il presente .... di pagamento fa riferimento alla fattura n.3112 dell'11/10/03.
   - [ ] A. sollecito
   - [ ] B. stimolo
   - [ ] C. incitamento
   - [ ] D. invito

4. Siamo disposti a trattenere gli articoli non .... all'ordine in cambio di uno sconto.
   - [ ] A. affini
   - [ ] B. concordi
   - [ ] C. simili
   - [ ] D. conformi

5. La nostra Compagnia nel 2003 potrà .... particolari agevolazioni tariffarie.
   - [ ] A. praticarVi
   - [ ] B. praticarci
   - [ ] C. praticarmi
   - [ ] D. praticarne

6. Il nuovo listino prezzi andrà in vigore .... 1°gennaio prossimo.
   - [ ] A. al
   - [ ] B. dal
   - [ ] C. nel
   - [ ] D. sul

7. Siamo interessati .... fornitura di 300 pezzi dell'articolo RF 74.
   - [ ] A. dalla
   - [ ] B. sulla
   - [ ] C. alla
   - [ ] D. nella

8. Le ricordo che la nostra offerta sarà .... solo fino al 30 settembre.
   - [ ] A. valente
   - [ ] B. effettiva
   - [ ] C. buona
   - [ ] D. valida

9. Purtroppo siamo .... a modificare il nostro ordine.
   - [ ] A. costretti
   - [ ] B. sicuri
   - [ ] C. legati
   - [ ] D. spiacenti

10. Le comunico le nostre .... di vendita e di pagamento.
    - [ ] A. intese
    - [ ] B. intenzioni
    - [ ] C. condizioni
    - [ ] D. convenzioni

E ora ricostruisci due lettere commerciali complete, svolgendo il compito seguente.

Completare il testo. Inserire la parola mancante negli spazi numerati. Usare una sola parola.

TECNORICAMBI s.r.l.
Piazza del Pilotto 33
11125 Torino

Spett. Carrozzeria Cianfruschelli
Via dei Mulini, 100
00181 NAPOLI

Torino, 15 settembre 2003

Oggetto: ***offerta***

In riferimento (1) .... colloqui intercorsi con il ns. Sig. Martinat, Vi sottoponiamo la ns. migliore offerta per l'acquisto del materiale da (2) .... richiesto con Vs. del 10 u.s. e da noi distribuito in Italia.

Art.1833 **Prezzo al pubblico € 33,54 + IVA**
per quantità al di sotto delle 30 unità non è possibile effettuare sconti
per quantità al di sopra delle 30 unità sarà (3) .... uno sconto del 20%

Art.2054 **Prezzo al pubblico € 18 + IVA**
Sconto a Voi riservato : 15%

Consegne: dal nostro magazzino di Roma

Trasmissione ordini: a (4) .... Fax a noi direttamente o al Sig. Martinat presso il ns. magazzino di Roma.

Evasione ordini: entro 2/3 gg per materiale disponibile - diversamente entro 7/10 gg.

Pagamenti: Ricevuta Bancaria a 60 gg. fine mese

Vi preghiamo (5) .... comunicare le Vostre decisioni in merito direttamente al Sig. Martinat di Roma con il (6) .... potrete concordare su modalità di consegna e su quant' (7) .... potrà essere utile (8) .... lo sviluppo della collaborazione.

Certi di aver fatto quanto di (9) .... in nostro potere ed auspicando una futura proficua collaborazione, vogliate gradire i (10) .... migliori saluti.

Ing. Vittorio Palleschi
Direttore Servizio Commerciale

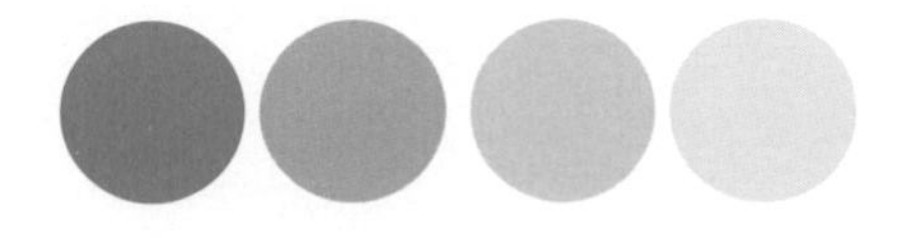

Sportlandia S.r.l.
Piazza Roma, 81
00020 Bergamo

Spett.le
Calzaturificio Melli
Via M.Mari, 11
20100 Milano

Bergamo, 3 ottobre '03

Alla cortese (1) .... del Sig.Bucchi

Oggetto:richiesta di documentazione

Egregio Sig.Bucchi,
gradiremmo (2) .... una documentazione completa della
Vostra ultima produzione (3) .... calzature sportive.
Siamo particolarmente (4) .... alla collezione invernale,
sulla (5) .... La preghiamo di inviarci un'offerta dettagliata.
Se riterremo i (6) .... prezzi competitivi, potremmo
concordare acquisti (7) .... almeno 80 articoli per modello.

In (8) .... di una Vostra cortese risposta, vogliate
(9) .... i nostri migliori saluti.

Rag. Paolo Bardi
Direttore Servizio Commerciale

Ascolta i testi che seguono e svolgi il compito richiesto.

D. **Ascoltare** e comprendere

Ascolterai 5 clienti insoddisfatti che lasciano un messaggio nella segreteria dell'ufficio reclami di un magazzino di cancelleria e attrezzature per ufficio.
Le motivazioni delle loro lamentele sono elencate nella lista A – G.

Individuare la motivazione della lamentela per ciascun cliente e trascrivere la lettera corrispondente nell'apposito spazio.
(Ascoltare i testi due volte)

Cliente n. 1 ....
Cliente n. 2 ....
Cliente n. 3 ....
Cliente n. 4 ....
Cliente n. 5 ....

A. Merce danneggiata
B. Fatturazione prezzi non corrispondente al listino
C. Merce non corrispondente all'ordine
D. Ritardo nella consegna delle merci
E. Errore nell'intestazione della fattura
F. Errore nella destinazione delle merci
G. Errore nell'indicazione delle modalità di pagamento

E. Scrivere

Sei il responsabile acquisti di una piccola impresa.
Anche la tua impresa si serve da molti anni presso lo stesso magazzino di cancelleria e articoli per ufficio che ha creato tanti problemi ai clienti che abbiamo ascoltato prima.

Purtroppo anche tu hai dovuto constatare che negli ultimi tempi questo fornitore non è più affidabile per una serie di motivi:

- ritardo nelle consegne
- errori nei documenti
- forniture non corrispondenti all'ordine

ed inoltre hai constatato un improvviso aumento dei prezzi di circa il 10%.

Scrivi una lettera a questo fornitore comunicandogli questa serie di problemi (100 parole ca.).

Leggi di seguito la descrizione dei prodotti offerti da tre industrie italiane che producono divani e poltrone.
Leggi i testi e svolgi il compito seguente.

F. **Leggere** e comprendere

Leggere i testi indicati con A, B e C.
Abbinare le informazioni di seguito elencate al testo relativo, barrando la casella A se l'informazione è relativa al testo A, le caselle B o C se le informazioni sono relative ai testi B o C.

Testo A

I nostri divani da sempre sono sinonimo di qualità e creatività tutta italiana.
Siamo attenti alle mode e ai gusti della clientela, per questo seguiamo con cura la fase di progettazione del prodotto, perché da essa dipende il successo di un modello.
Trasformiamo il progetto in un prodotto che realizziamo con tecniche moderne, permettendo così di ottimizzare i costi e i tempi di lavoro.

I telai dei nostri divani e delle nostre poltrone sono realizzati con legni di qualità rivestiti di imbottiture che danno forma, morbidezza e comfort ad ogni modello.
La scelta dei rivestimenti, in tessuto, pelle, alcantara o microfibra, prevede una vasta gamma di colori.
Il cliente finale è libero di personalizzare il suo divano in base ai propri gusti.
L'ultima fase della produzione prevede l'intervento di esperti artigiani che controllano ogni dettaglio e rifiniscono a mano alcuni modelli.

Testo B

La nostra attuale collezione comprende circa 60 modelli di salotti. Gli stili sono vari e la scelta dei colori per il rivestimento copre 80 sfumature. Inoltre offriamo più di 20 colori legno in 3 diverse lucidature.
Molti dei nostri modelli sono dotati di meccanismi ad azione manuale o elettrica che permettono di azionare i poggia-schiena per porli in posizione reclinata. Un modello ha inoltre a disposizione un programma automatico per i massaggi.
I telai, realizzati per la maggior parte con legni masselli stagionati come faggio, abete e pioppo, garantiscono una durata illimitata.
L'imbottitura delle varie parti dei nostri divani (braccioli, spalliere, poggia-schiena, sedute) è a densità variabile e ricoperta da materiali speciali per garantire il massimo adattamento al corpo.

Testo C

Ogni prodotto nasce da un'idea originale che viene sviluppata nel nostro Centro Studi & Ricerche dove operano architetti e designers.
In questo modo la nostra ditta è in grado di anticipare le soluzioni tecniche di domani e produrre, oggi, con quanto di meglio esiste nell'area tecnologica.
I telai sono in genere in metallo verniciato con resine, oppure in legno di faggio, abete o pioppo proveniente da colture specifiche.
Trattiamo i materiali sempre senza l'impiego di sostanze nocive, nel rispetto dell'ambiente.
La piuma che utilizziamo per le imbottiture è garantita come prodotto naturale ed è sottoposta ad un'accurata fase di lavaggio e sterilizzazione. Le fibre acriliche rispondono a precisi requisiti di elasticità e durata nel tempo.
Tutti i tessuti per i rivestimenti hanno superato numerose prove, in particolare quelle relative alla solidità dei colori e in un'apposita etichetta sono riportate la composizione e le norme di manutenzione di ogni singolo tessuto.
I rivestimenti in pelle vengono selezionati e successivamente trattati e conciati con l'impiego di tinte con colori atossici.
Una cura particolare viene posta nella realizzazione del "vestito" di ogni prodotto, con grande attenzione al taglio dei materiali e all'assemblaggio delle parti mediante cuciture appropriate.
Ogni prodotto è riciclabile: il rivestimento è rinnovabile e anche l'intera struttura può essere rigenerata per altre realizzazioni.

	A	B	C
1. La scelta è ampia sia per numero di modelli che per colori	☐	☐	☐
2. L'azienda crea prodotti tecnologicamente avanzati	☐	☐	☐
3. Marchio italiano e particolare attenzione alla progettazione dei divani caratterizzano questa azienda	☐	☐	☐
4. L'azienda lavora con tecniche che le permettono di risparmiare tempo e denaro	☐	☐	☐
5. I tessuti vengono sottoposti a test specifici	☐	☐	☐
6. Alcuni modelli di divani garantiscono un relax assoluto	☐	☐	☐
7. I singoli materiali che compongono il prodotto finale sono assolutamente ecologici	☐	☐	☐
8. Le strutture in legno sono garanzia di indistruttibilità	☐	☐	☐
9. Per alcuni divani viene eseguita una lavorazione manuale	☐	☐	☐

I divani e le poltrone sono uno dei tanti prodotti italiani conosciuti ed apprezzati in tutto il mondo.
Ma i prodotti con marchio "Made in Italy" sono tanti.

Nel compito seguente immagina di essere il responsabile alle vendite di un'azienda italiana che presenta i propri prodotti.

G. Parlare

I PRODOTTI MADE IN ITALY

Prodotti alimentari
Immagina di essere il responsabile alle vendite di un'azienda italiana che produce prodotti alimentari (pasta, olio d'oliva, sughi, conserve di pomodoro) e di dover presentare la gamma di prodotti ad un cliente.

Oltre alla descrizione dei prodotti dovrai dare al cliente informazioni relative a
- prezzi e condizioni di pagamento
- modalità di trasporto delle merci

Il vino e i liquori
Immagina di essere il responsabile alle vendite di un'azienda italiana che produce vino e liquori (grappa e limoncello) e di dover presentare la gamma di prodotti ad un cliente.

Oltre alla descrizione dei prodotti dovrai dare al cliente informazioni relative a
- prezzi e condizioni di pagamento
- modalità di trasporto delle merci

L'abbigliamento e le calzature
Immagina di essere il responsabile alle vendite di un'azienda italiana che produce abbigliamento e calzature e di dover presentare la gamma di prodotti ad un cliente.

Oltre alla descrizione dei prodotti dovrai dare al cliente informazioni relative a
- prezzi e condizioni di pagamento
- modalità di trasporto delle merci

**Abbiamo parlato di prodotti italiani noti in tutto il mondo per la loro qualità.
Leggi nel testo seguente alcuni consigli che vengono dati agli operatori italiani per esportare i prodotti alimentari in Germania.
Leggi il testo e svolgi i compiti richiesti.**

H. **Leggere** e comprendere

Leggere attentamente il testo e svolgere i compiti indicati di seguito.

CONSIGLI AGLI OPERATORI ITALIANI CHE ESPORTANO IN GERMANIA

1) Le opportunità di esportare prodotti alimentari nel mercato tedesco possono essere colte dalle aziende italiane solo se queste saranno in grado di presentare i propri prodotti attraverso il canale di distribuzione adeguato.
   La scelta inadeguata del canale distributivo è infatti uno degli errori che più frequentemente pregiudica l'espansione delle aziende italiane del settore alimentare in Germania.

(...)

2) La Camera di Commercio Italiana per la Germania ha lanciato nel 2002 il progetto S.D.AL., un seminario sulla distribuzione alimentare in Germania, con l'obiettivo di fornire all'operatore italiano le conoscenze pratiche che gli permettano di entrare nel mercato tedesco utilizzando il canale adeguato.

3) Data la tipologia e la deperibilità di molti dei prodotti alimentari, un aspetto molto rilevante è quello della logistica. Le aziende italiane dovranno essere in grado di far arrivare i loro prodotti in Germania in tempo ed in maniera efficiente e anche, se possibile, in piccole quantità. Una soluzione, per quelle aziende che hanno dimensione limitata, potrebbe essere quella di usufruire di servizi di aziende che siano in grado di raggruppare e distribuire prodotti di aziende diverse.

4) Disporre di un listino prezzi chiaro (prezzi CIF) e di un catalogo della produzione anche in lingua tedesca, rappresenta, per le aziende italiane che desiderano essere presenti sul mercato tedesco, un vantaggio importante. Il materiale promozionale iniziale è fondamentale per poter generare l'interesse da parte dell'operatore tedesco a cui seguirà, successivamente, la richiesta di alcuni campioni per la degustazione.

(...)

5) Il consumatore tedesco è diverso da quello italiano ed è quindi possibile che un prodotto, per essere venduto sul mercato tedesco, debba essere adeguato alle esigenze del consumatore locale.
Essere flessibili nella modalità di presentazione di un prodotto (confezione, peso,..) rappresenta sicuramente un ulteriore vantaggio competitivo per le aziende italiane interessate al mercato tedesco.

(tratto da www.itkam.de)

Compito n. 1
Scegliere dalla lista A-G il titolo più adatto per ciascuno dei cinque paragrafi in cui è diviso il testo. Trascrivere la lettera corrispondente nell'apposito spazio.

Paragrafo 1 ....
Paragrafo 2 ....
Paragrafo 3 ....
Paragrafo 4 ....
Paragrafo 5 ....

A. Un'iniziativa per informare gli esportatori italiani
B. Partire con il piede giusto
C. Imparare il tedesco per dialogare con i clienti
D. Curare l'immagine e la comunicazione della propria azienda
E. Associarsi ad altre aziende per incrementare l'esportazione
F. Come evitare sprechi e ritardi nella distribuzione dei prodotti
G. Saper rispondere ad esigenze particolari

Compito n.2
Scegliere dalla lista H-O la parola più adatta a completare le frasi. Trascrivere la lettera corrispondente nell'apposito spazio.

1) Il mercato tedesco della pasta è in continua evoluzione e l'Italia è il fornitore principale con una .... di mercato di circa il 35%.

2) Il consumo pro-capite di pasta italiana è in continuo incremento e interessa soprattutto la .... di consumatori giovani.

3) Il vino è commercializzato soprattutto attraverso supermercati o discount, dove si riscontra anche una maggiore .... di prezzo.

4) Con un consumo annuo di ca. 20 milioni di hl, la produzione di vino in Germania (tra 8 e 12 milioni di hl all'anno) non basta a soddisfare la .... interna.

H. domanda
I. fascia
L. quota
M. concorrenza
N. competizione
O. quotazione

Leggi i testi seguenti che presentano:
- un prodotto utile per organizzare le attività di chi è sempre in viaggio per lavoro
- un servizio di logistica

I. Leggere e comprendere

Leggere i testi e indicare con X la lettera A, B o C corrispondente all'affermazione corretta fra le tre proposte.

PRIMO TESTO

Il BlackBerry è la soluzione rivoluzionaria per gestire la posta elettronica aziendale anche fuori dall'ufficio. Non è più necessario usare ingombranti PC portatili e cavetti di connessione; non occorre più collegarsi ad Internet per leggere le proprie e-mail. BlackBerry porta nella tua tasca, in soli 135 grammi, la tua casella e-mail. Leggi, rispondi ed invii i messaggi di posta elettronica con rapidità e semplicità grazie a una comoda tastiera, e in più BlackBerry è sempre connesso e le e-mail ti arrivano automaticamente senza dover fare nessuna richiesta di collegamento. Con il BlackBerry puoi leggere gli allegati delle e-mail inviati nei formati più usati (word, excel, pdf). Ed oggi, il BlackBerry di TIM è anche un telefonino GSM dual band, in grado di effettuare e ricevere chiamate e di gestire SMS. Inoltre, grazie al BlackBerry, sei in grado di portare sempre con te la tua agenda appuntamenti e la tua rubrica contatti e di modificarle riportando simultaneamente le modifiche sul tuo PC in ufficio.

(testo adattato tratto dal sito www.tim.it)

Il BlackBerry offre la possibilità di

☐ A comunicare on-line in qualsiasi momento
☐ B utilizzare tutti i programmi di un mini-computer
☐ C avere informazioni complete sulla propria azienda

****

SECONDO TESTO

La nostra Società è in grado di offrirVi un servizio di logistica personalizzato e di organizzare il sistema distributivo più adatto alle Vostre esigenze.
Attraverso la nostra organizzazione, potrete liberarVi della responsabilità di tutte quelle operazioni che avvengono dopo la vendita del prodotto e di tutte quelle operazioni logistiche che Vi richiederebbero inutili spese di magazzino.

Il nostro servizio Vi consentirà di avere sempre sotto controllo le scorte di magazzino e la distribuzione dei Vostri articoli.
Voi stessi ci fornirete i codici per immagazzinare o estrarre le merci nell'area di magazzino ad esse riservata e in qualsiasi momento potrete verificare le scorte disponibili per mezzo di un collegamento on-line.
La distribuzione da noi organizzata avrà tempi di consegna minimi (circa 48 ore in tutta Italia).

I servizi di logistica offerti consentono al cliente di

- ☐ A acquistare nuovi locali per un magazzino
- ☐ B catalogare le operazioni di vendita con appositi codici
- ☐ C seguire i flussi di distribuzione dei prodotti

Per finire ascolta il titolare di una piccola azienda italiana che si occupa di servizi informatici e che parla dell' attività della sua azienda, delle caratteristiche e delle esigenze della clientela. Ascolta l'intervista e svolgi il compito richiesto.

L. **Ascoltare** e comprendere

Ascoltare l'intervista due volte e svolgere l'esercizio seguente.
Indicare con X la lettera A, B, o C corrispondente all'affermazione corretta fra le tre proposte.

1) Il signor Bianchi dice che oggi i computer
- ☐ A sono in tutte le case come gli elettrodomestici
- ☐ B costano meno di un elettrodomestico
- ☐ C si vendono come un elettrodomestico

2) Il signor Bianchi dice che
- ☐ A i virus informatici sono il problema più grave per i computer
- ☐ B non tutti i problemi ai computer possono dipendere da un virus
- ☐ C alcuni suoi clienti non sanno che cosa sia un virus informatico

3) Quando si naviga in Internet c'è il rischio
- ☐ A di perdere tutti i dati presenti nel proprio computer
- ☐ B di ricevere posta e messaggi non richiesti
- ☐ C di ricevere informazioni riservate di altre persone

4) Alla fine il Signor Bianchi dice che
- ☐ A è rischioso pagare attraverso Internet le bollette per i servizi telefonici
- ☐ B usando servizi a pagamento in Internet si rischia di pagare troppo senza accorgersene
- ☐ C l'avvento di Internet ha fatto aumentare le tariffe telefoniche urbane e intercontinentali

Sulla scrivania

Rapporti con banche e assicurazioni – La gestione dell'ufficio

Per chi si occupa di questioni amministrative, i rapporti da gestire al di fuori dell'azienda sono molteplici.
Per la gestione finanziaria dell'azienda è necessario avere un rapporto quotidiano con le banche.
Per garantire poi una corretta gestione di tutta l'azienda è obbligatorio lavorare con una serie di coperture assicurative.

I rapporti con le banche e le assicurazioni diventano quindi un costante impegno per chi si occupa della gestione di un'azienda.

”

I rapporti con le banche

Oggi, con l'avvento di Internet, anche le banche stanno innovando e trasformando i propri servizi.
Non è più il cliente ad andare in banca, ma la banca ad andare dal cliente!

Il testo seguente è tratto dal sito Internet di un'importante banca italiana.
Leggi il testo e svolgi il compito richiesto.

A. **Leggere** e comprendere

Leggere il testo e indicare con X la lettera A, B o C corrispondente all'affermazione corretta fra le tre proposte.

Business Way è l'idea BNL che offre, con la collaborazione di prestigiosi partner commerciali, un insieme di servizi non solo bancari, facilmente accessibili tramite Internet e destinati al mondo dei professionisti e delle imprese.
Business Way Vi aiuta a monitorare i rapporti con clienti e fornitori, gestendo in modo efficiente incassi e pagamenti e mettendo a Vostra disposizione tutte le informazioni commerciali sulle controparti (rapporti informativi, visure protesti e camerali). I nostri servizi Vi consentono inoltre di semplificare i rapporti di lavoro con gli altri Paesi del mondo attraverso una serie di efficaci strumenti di operatività bancaria.
E' sufficiente un rapido clic, infatti, per effettuare un bonifico estero o un pagamento a valere su c/c esteri, per controllare i saldi e i movimenti su c/c esteri o per accedere a informazioni commerciali su controparti estere. Con Business Way si possono anche curare i rapporti con i dipendenti, tramite il pagamento degli stipendi e la possibilità di usufruire di informazioni e consulenza sul diritto del lavoro. Inoltre si può effettuare la ricerca del personale tramite la banca dati di una società di lavoro interinale.

(testo adattato tratto dal sito www.bnl.it)

Per mezzo di Business Way è possibile

- ☐ A stipulare accordi commerciali con partner di tutto il mondo
- ☐ B aprire dei conti correnti agevolati per i dipendenti
- ☐ C verificare l'affidabilità di un cliente o di un fornitore

AZ. AREA EURO

Fondo			
Alpi Az.Area Euro	8,251	8,262	19,18
Alto Azionario	15,925	15,885	18,85
Aureo E.M.U.	9,705	9,728	18,57
Bipielle F.Euro	9,376	9,392	15,62
Bipielle F.Mediteran	12,875	12,904	19,65
BPU Prum.Az.Euro	4,515	4,506	32,68
BSI Azionario Euro	4,158	4,165	17,33
CA-AM Mida Az.Euro	4,746	4,747	20,30
Capges FF Eur Sect.	4,263	4,271	22,18
Dws Az. Euro	3,904	3,905	17,10
Epsilon QEquity	3,998	3,996	27,74
Eurom. Euro Equity	3,308	3,309	18,63
Fineco Euro Growth	11,101	11,093	15,35
Fineco Euro Value	4,668	4,672	24,85
General Euro Innovation	2,469	2,463	23,14
Kairos Partners S.C.	7,090	7,056	25,42
Leonardo Euro	4,755	4,758	18,34
Prim.Azioni Growth	4,589	4,593	
Sanpaolo Euro	13,725	13,742	17,16
UniCredit-Az.MEur-A	7,778	7,782	18,62
UniCredit-Az.MEur-B	7,686	7,691	18,25
Vegagest Az.Area Eur	6,684	6,665	18,25
Zenit Eurostoxx 50 I.	4,377	4,388	20,41

AZ. EUROPA

Fondo			
AAA Master Az Eu	5,182	5,166	
Amerigo Vespucci	5,380	5,363	12,04
Anima Europa	3,850	3,845	27,19
...ca AzEuropa	8,707	8,693	16,31
...g. EuroAzioni	3,193	3,185	18,04
...e Europazioni	4,807	4,801	19,49
...a Europa	12,882	12,850	17,54
...onario Europa	8,556	8,538	54,41
...l Europa	6,161	6,149	20,83
...e Europa	11,620	11,590	16,91
...h.Europa	5,066	5,064	30,82
...opa	3,648	3,642	15,26

AZ. AMERICA

Fondo			
AAA Master Az.Am.	5,222	5,218	
Alto America Az.	4,701	4,698	6,96
America 2000	10,690	10,671	10,82
Anima America	5,261	5,261	35,84
Arca AzAmerica	17,536	17,508	14,10
Artig. AzioniAmerica	3,392	3,387	11,07
Aureo Americhe	3,265	3,266	11,78
Azimut America	10,448	10,427	15,09
Bim Azionario Usa	5,944	5,926	16,50
Bipielle H.America	7,201	7,180	9,16
Bipiemme Americhe	9,393	9,388	17,82
BPU Prum.Az.Usa	3,800	3,787	17,18
Capitalg. America	8,440	8,501	11,88
Cristoforo Colombo	14,191	14,140	8,99
Ducato Geo Am.Blue C	5,089	5,081	11,90
Ducato Geo Am.Cr.	4,905	4,894	6,70
Ducato Geo Am.Sm.Cap	14,878	14,801	25,13
Ducato Geo Am.Val.	5,789	5,795	11,86
Ducato Geo America	4,765	4,759	7,68
Effe Az. America	2,808	2,823	8,26
Epta Selez. America	4,226	4,220	7,29
Eurocons.Az.Am.	4,721	4,747	4,56
Eurom. Am.Eq. Fund	15,370	15,476	10,09
F&F L.Azioni America	3,910	3,926	8,67
F&F Select America	10,872	10,917	9,69
Fin.Put. US SMC Val	5,840	5,838	27,66
Fin.Put. USA Equity	6,288	6,271	11,49
Fin.Put. USA Opport.	5,894	5,856	16,74
Fin.Put. Usa V.Euro	4,344	4,348	15,62
Fineco AM Az.NordA.	11,060	11,011	10,09
Fondersel America	11,128	11,196	6,61
FS Best of Am.	3,716	3,703	11,19
Generali America Value	17,341	17,308	12,99
Generali Usa Growth	2,519	2,485	3,66
Geo US Equity	2,672	2,675	15,12
Gestielle America	12,428	12,406	9,31
Gestnord Az.Am.	13,074	13,054	5,76
Imivest	17,881	17,866	11,98
Investire America	16,606	16,587	12,03
Investitori America	3,810	3,803	8,77
Kairos US Fund	5,749	5,764	18,89
MC Gest. FdF Ame.	5,632	5,621	23,77
Nextam P.Az.America	9,613		
Nextra Az.N.Am.	8,014		
Nextra Az.N.Am.Dinam.	18,898		
Nextra Az.PMI N.Am.			
Open Fund Az.America	18,983		

Ascolterai il dialogo tra un impiegato di una banca ed una sua cliente che vuole attivare una nuova carta di credito per uso personale.

Ascolta il dialogo e svolgi il compito seguente.

B. **Ascoltare** e comprendere

Ascoltare il dialogo due volte.
Indicare con X la lettera A, B, o C corrispondente all'affermazione corretta fra le tre proposte.

1. La carta di credito "Carta Valore" offre il vantaggio di

☐ A non dover rimborsare le spese mensili in un'unica soluzione
☐ B essere coperta da un'assicurazione contro il furto
☐ C non dover rimborsare le spese per i primi tre mesi

2. Con "Carta Valore" si possono fare acquisti

☐ A in tutto il mondo
☐ B in Internet
☐ C in alcuni negozi

3. In caso di furto, per bloccare l'utilizzo illecito della carta è necessario

☐ A fare una telefonata
☐ B andare dalla polizia
☐ C spedire una raccomandata

Il testo seguente dà alcune informazioni sul rapporto esistente in Italia tra banche e Piccole e Medie Imprese.

Leggi il testo e svolgi i compiti richiesti.

C. **Leggere** e comprendere

Leggere attentamente il testo e svolgere i compiti indicati di seguito.

IL RAPPORTO TRA PICCOLE AZIENDE E BANCHE

1) Fino a poco tempo fa un'azienda di piccole dimensioni si rivolgeva esclusivamente alle banche locali. Oggi una serie di processi di concentrazione e acquisizione sta creando un profondo cambiamento nel mondo bancario e tutto questo potrà influire sul rapporto con le aziende a livello locale.

2) Un'indagine statistica effettuata di recente ha stabilito che la grande maggioranza delle piccole aziende italiane (81,3%) vede le banche come fornitori di mezzi finanziari a fronte di garanzie, mentre solo una piccola percentuale (12,3%) vede le banche come un possibile partner per lo sviluppo. Tante sono le aziende che in generale si dichiarano insoddisfatte dei servizi bancari. Il problema principale è quello delle richieste di garanzie troppo onerose a fronte dell'erogazione di finanziamenti. I costi relativi all'erogazione di tali finanziamenti sono poi considerati troppo elevati e i tempi di attesa troppo lunghi.

3) Questa situazione ha fatto sì che oggi il 70% delle piccole aziende italiane ricorra allo strumento di credito più semplice, ovvero lo scoperto di conto corrente. E proprio il conto corrente rimane quasi esclusivamente l'unico prodotto bancario utilizzato dalle piccole aziende.

4) In questo clima si rende necessario un cambio di direzione. Se facciamo un'analisi della situazione in altri paese europei, vediamo, per esempio, che l'imprenditoria tedesca mostra una tendenza del tutto opposta, con un 70% delle aziende che ha facilmente accesso al credito a medio termine.

Compito n. 1
Scegliere dalla lista A-F il titolo più adatto per ciascuno dei quattro paragrafi in cui è diviso il testo.
Trascrivere la lettera corrispondente nell'apposito spazio.

Paragrafo 1 ....
Paragrafo 2 ....
Paragrafo 3 ....
Paragrafo 4 ....

A. Che cosa non va nelle banche
B. Un confronto con l'estero
C. I servizi non sono garantiti
D. Una trasformazione in atto
E. La banca locale
F. In banca solo per una cosa

Compito n.2
Scegliere dalla lista G-N la parola più adatta a completare le frasi.
Trascrivere la lettera corrispondente nell'apposito spazio.

Ecco alcune agevolazioni offerte dai nostri servizi bancari:

1. Pagando un unico canone mensile sul conto corrente è possibile .... un elevato numero di operazioni in tutta tranquillità e senza spese aggiuntive.

2. I nostri clienti possono .... su un'assistenza personalizzata nella gestione del proprio conto e su una consolidata esperienza.

3. Per .... al sicuro i propri risparmi i nostri clienti avranno accesso a fondi di investimento a capitale protetto.

4. E per l'acquisto della prima casa la nostra banca Vi offre la possibilità di .... mutui vantaggiosi.

G. operare
H. effettuare
I. mettere
L. rispondere
M. contare
N. accendere

Il recente cambio di valuta da lire in euro ha creato anche in Italia non pochi problemi.
Nella delicata fase di passaggio da una moneta all'altra (1999 – 2002) le banche si sono impegnate a dare ai clienti tutte le informazioni possibili per evitare confusione ed errori.

Di seguito troverai una lettera informativa di una banca dove venivano date utili informazioni su come compilare gli assegni in euro.

Leggi il testo e svolgi il compito richiesto.

D. **Grammatica** e lessico

Completare il testo. Inserire la parola mancante negli spazi numerati. Usare una sola parola.

INFORMAZIONI UTILI

Nella compilazione dell'assegno bisogna indicare i due numeri decimali, separati da una virgola per l'importo in cifre (esempio: € 75,40) e da una barra per l'importo in lettere (esempio: € settantacinque/40).
In assenza di decimali, **1** .... la virgola e la barra bisogna indicare due zeri (esempio: € 67,00).

Gli assegni in euro possono essere scritti in qualsiasi lingua dei Paesi in **2** .... ha corso la nuova moneta.

Nella conversione **3** .... moneta nazionale a euro l'arrotondamento viene effettuato alle due cifre decimali. Se il terzo decimale è compreso fra 0 e 4, il secondo decimale rimane lo **4** .... (esempio: € 5,884 saranno 5,88).
Se **5** .... il terzo decimale è compreso fra 5 e 9, il secondo viene incrementato di una unità (esempio € 5,885 diventeranno 5,89).

Dal 1° gennaio 1999 i **6** .... di conto corrente possono richiedere contemporaneamente carnet di assegni **7** .... in euro che in lire.
Gli assegni sono **8** .... colore diverso, a seconda che siano in lire o in euro.
A **9** .... dal 1° gennaio 2002, gli assegni potranno essere emessi solo in euro e non ci saranno **10** .... conti correnti in lire.

E' opportuno ricordarsi **11** .... scrivere sulla matrice, dalla quale si stacca l'assegno, le seguenti informazioni:

- l'importo del saldo precedente del c/c bancario
- l'importo dell'operazione effettuata
- la data
- il nome del beneficiario
- la motivazione.

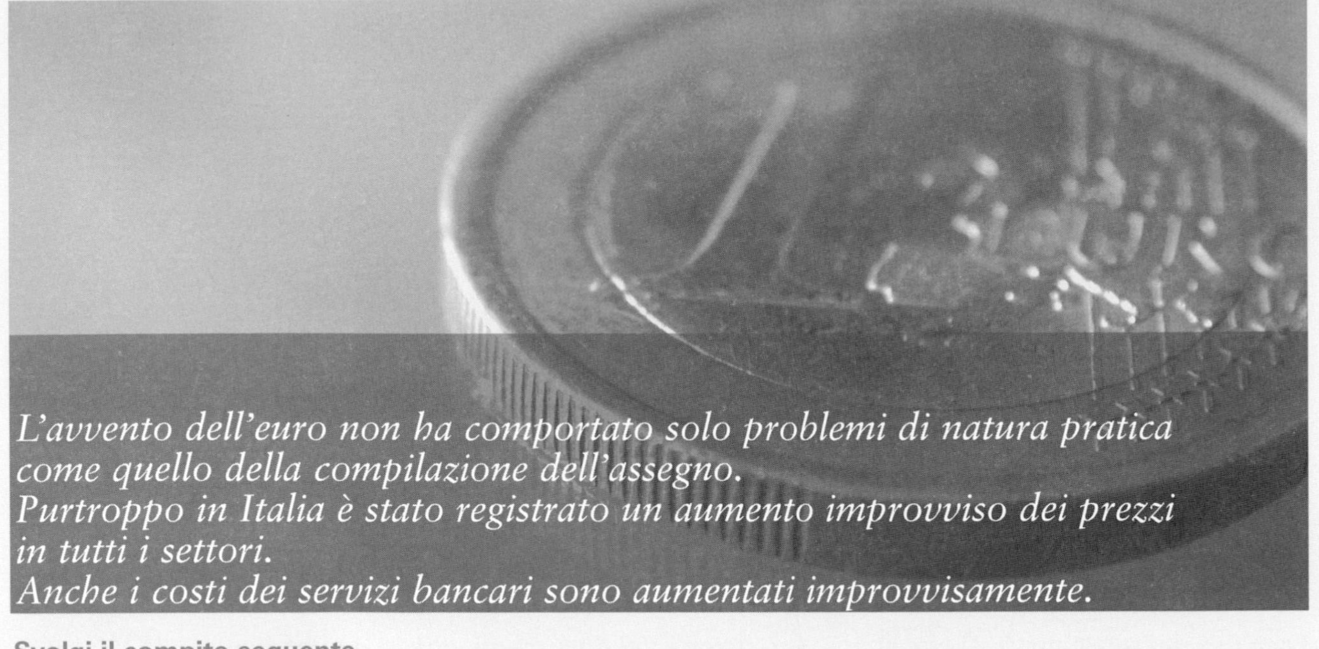

L'avvento dell'euro non ha comportato solo problemi di natura pratica come quello della compilazione dell'assegno.
Purtroppo in Italia è stato registrato un aumento improvviso dei prezzi in tutti i settori.
Anche i costi dei servizi bancari sono aumentati improvvisamente.

Svolgi il compito seguente.

E. Parlare

La tua azienda si serve da anni presso una banca di fiducia.
Dopo l'entrata in vigore dell'euro le spese relative alla tenuta del conto corrente sono quasi raddoppiate.

Nel dettaglio:

Operazione bancomat	€ 2
Imposta di bollo mensile	€ 2,5
Commissioni su bonifico bancario	€ 1,5
Spese fisse per tenuta conto (trimestrali)	€ 8

Telefona al direttore della banca per negoziare delle condizioni più favorevoli per la tua azienda.
Lavora con un compagno o con l'insegnante. Insieme simulate la telefonata.

Ecco di seguito alcune frasi che si possono trovare nei documenti emessi da una banca.

F. Grammatica e lessico

Scegliere la parola opportuna, tra le quattro proposte, per completare le seguenti frasi.
Trascrivere la lettera corrispondente alla parola scelta nell'apposito spazio.

1. Il tasso a credito è .... 1,00% per giacenze sino a € 5.000,00.
   - ☐ A. sull'
   - ☐ B. dell'
   - ☐ C. dall'
   - ☐ D. nell'

2. Il .... unitario per operazione è di € 0,93 per gli assegni e di € 1,03 per i versamenti.
   - ☐ A. rimborso
   - ☐ B. valore
   - ☐ C. conto
   - ☐ D. costo

3. Vi comunichiamo il tasso d'interesse applicato sul credito .... gestione.
   - ☐ A. di
   - ☐ B. a
   - ☐ C. per
   - ☐ D. da

4. L'........ di un assegno circolare avverrà entro 3 gg. lavorativi dalla data del versamento.
   - ☐ A. immissione
   - ☐ B. acquisizione
   - ☐ C. accredito
   - ☐ D. introduzione

5. Gli interessi sono riconosciuti al correntista .... allo stesso corrisposti nella misura indicata nel modulo allegato.
   - ☐ A. e
   - ☐ B. ma
   - ☐ C. eppure
   - ☐ D. né

6. Le comunico le coordinate bancarie .... quali accreditare il bonifico.
   - ☐ A. delle
   - ☐ B. dalle
   - ☐ C. nelle
   - ☐ D. sulle

I rapporti con le assicurazioni

Un'azienda italiana deve far fronte ad una serie di obblighi di natura assicurativa, per non contare poi le polizze che vengono stipulate liberamente per assicurare le merci.

Ascolterai il dialogo tra un'imprenditrice che vuole stipulare un'assicurazione e l'impiegato dell'agenzia assicurativa.
Ascolta il dialogo e svolgi il compito richiesto.

G. **Ascoltare** e comprendere

Ascoltare il dialogo due volte.
Riempire gli appositi spazi con le informazioni opportune.

Telefonata

Cliente: "Sole di Toscana" Sig.ra Manti

Oggetto della telefonata: richiesta preventivo per polizza assicurativa

Oggetto della polizza assicurativa: 1) ______

Merce da assicurare: 2) ______

Contenitori della merce: 3) ______

Imballaggio contenitori: 4) ______

Area geografica: 5) ______

Mezzi di trasporto: 6) ______

Rischi da coprire: 7) danneggiamento merci SI' NO

8) furto merci SI' NO

Inizio copertura assicurativa presso 9) ______

Fine copertura assicurativa presso 10) ______

Numero di fax Sig.ra Manti: 11) ______

Una volta stipulato un contratto di assicurazione, è sempre opportuno tenere i rapporti con la compagnia assicurativa in forma scritta, meglio se attraverso lettere RACCOMANDATE.
In questo modo, infatti, rimane al mittente un documento (la ricevuta dell'ufficio postale) che testimonia la data precisa di spedizione della comunicazione.

Di seguito troverai un esempio di comunicazione fatta ad una compagnia assicurativa. Leggi il testo e svolgi il compito richiesto.

H. **Leggere** e comprendere

Leggere il testo a pag.71 e indicare con X la lettera A, B o C corrispondente all'affermazione corretta fra le tre proposte.

La Ditta Tecnostar Srl chiede la sospensione del contratto assicurativo

- ☐ A senza dare alla compagnia assicurativa alcuna motivazione
- ☐ B perché vuole modificare alcune condizioni contrattuali
- ☐ C perché attende chiarimenti in merito al pagamento di alcune somme

Tecnostar Srl
Via dei Mulini 9
50100 FIRENZE

RACCOMANDATA A/R

Spett.le
Assicurazioni La Concordia
Agenzia di Firenze
Via Dante 8
50100 FIRENZE

Oggetto: Sospensione temporanea polizza n. 98557444

Con la presente siamo a chiedere la sospensione del contratto assicurativo di cui in oggetto relativo alla nostra auto aziendale Marca FIAT, modello PALIO targa FI 989898.
Pertanto Vi inviamo il certificato, il contrassegno e la carta verde del contratto in vigore con Voi.

Sarà nostra premura chiederVi a tempo debito la riattivazione del contratto, nei termini previsti dalle condizioni contrattuali. Se per effettuare la sospensione è previsto il pagamento di qualunque somma, Vi preghiamo di farcene conoscere subito il motivo e l'importo.

In attesa di Vostre notizie, Vi inviamo distinti saluti.

Tecnostar Srl

L'Amministratore Delegato
Dott. Cesare Rossi

Svolgi il compito seguente.

I. Scrivere

Lavori per un'azienda che produce tessuti.

La tua azienda ha stipulato una polizza assicurativa contro danni causati da eventi naturali che copre:
- danni all'immobile
- danni alle attrezzature
- danni al prodotto

Durante un violento temporale nella sede dell'azienda si verificano alcuni gravi danni all'immobile (tetto scoperchiato, piano terra allagato) che di conseguenza provocano ulteriori danni alle attrezzature e ai prodotti in magazzino.

Scrivi una lettera all'assicurazione descrivendo **in dettaglio** i danni riscontrati e chiedi informazioni sulle modalità di risarcimento.

Di seguito troverai ancora delle frasi tratte da alcune polizze assicurative.

L. Grammatica e lessico

Scegliere la parola opportuna, tra le quattro proposte, per completare le seguenti frasi.
Trascrivere la lettera corrispondente alla parola scelta nell'apposito spazio.

1. L'efficacia dell'assicurazione .... alle ore 24.00 dell'ultimo giorno previsto in polizza.
   - ☐ A. cessa ☐ B. chiude ☐ C. cede ☐ D. continua

2. Dichiarazioni inesatte possono diventare causa di .... del contratto.
   - ☐ A. disfacimento ☐ B. annullamento ☐ C. annientamento ☐ D. distruzione

3. La garanzia sarà valida solo se il difetto di conformità sarà .... per iscritto entro 2 (due) mesi dalla relativa scoperta.
   - ☐ A. denotato ☐ B. rivelato ☐ C. citato ☐ D. denunciato

4. Vogliate comunicar .... le condizioni di un'assicurazione multirischio per coprire il trasporto.
   - ☐ A. ...ci ☐ B. ...ne ☐ C. ... vi ☐ D. ...la

5. La nostra polizza multirischio è studiata per .... produttive fino a €2.500.000.
   - ☐ A. agenzie ☐ B. attività ☐ C. azioni ☐ D. operazioni

La gestione dell'ufficio

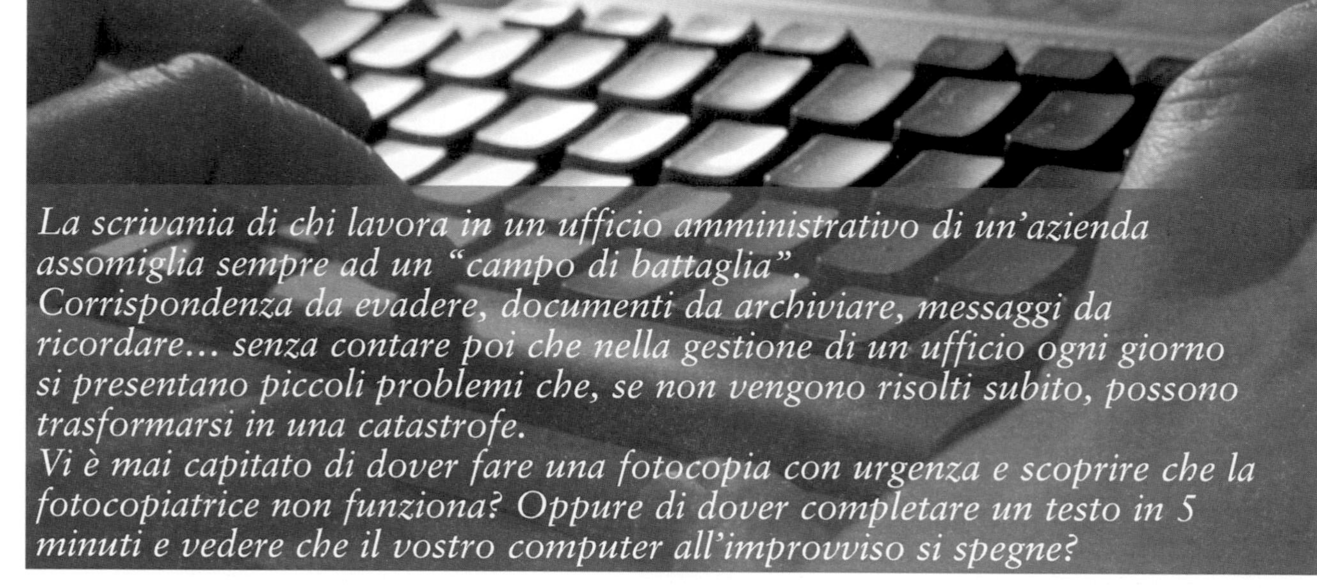

La scrivania di chi lavora in un ufficio amministrativo di un'azienda assomiglia sempre ad un "campo di battaglia".
Corrispondenza da evadere, documenti da archiviare, messaggi da ricordare... senza contare poi che nella gestione di un ufficio ogni giorno si presentano piccoli problemi che, se non vengono risolti subito, possono trasformarsi in una catastrofe.
Vi è mai capitato di dover fare una fotocopia con urgenza e scoprire che la fotocopiatrice non funziona? Oppure di dover completare un testo in 5 minuti e vedere che il vostro computer all'improvviso si spegne?

M. **Leggere** e comprendere

Leggere il testo a pag.75 e indicare con X la lettera A, B o C corrispondente all'affermazione corretta fra le tre proposte.

Il Signor Aloisi scrive questa e-mail alla società Computer Plus

☐ A per richiedere la sostituzione di uno dei due computer
☐ B per comunicare i problemi riscontrati in uno dei due computer
☐ C per richiedere un intervento di assistenza tecnica telefonica

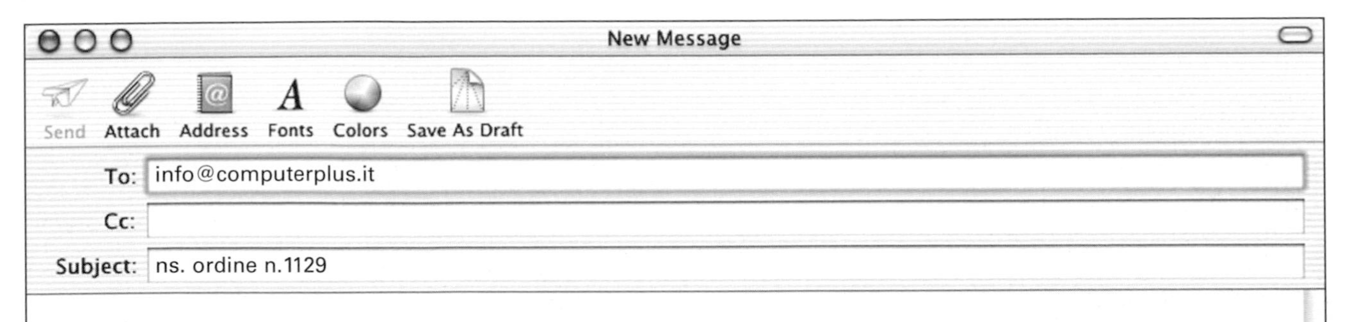

Alla c.a. del responsabile tecnico

In riferimento al nostro ordine n. 1129 del 13.09.2002 (fattura n. 14 del 22.09.2002) si vuole mettere a vostra conoscenza che sono stati riscontrati dei problemi nell'utilizzo dei PC acquistati presso di voi. Noi siamo una Software House e l'utilizzo dei computers con un pacchetto di programmi installati ci è indispensabile.

Abbiamo acquistato presso di voi due PC modello xxx2000 e la situazione è la seguente:

a. un computer non si avvia; problema già segnalato ad un vostro tecnico (colloquio telefonico del 23.09.2002) che ha consigliato di seguire la procedura per la restituzione del prodotto per una riparazione od eventuale sostituzione.

b. un computer ha presentato i seguenti problemi:
   - ieri, circa 3 ore dopo l'accensione, si è spento il monitor (è andato in standby) e per ripristinare il funzionamento abbiamo dovuto riavviare
   - oggi (il PC viene spento nella notte) lo spegnimento del monitor si è verificato dopo neanche 20 minuti. Per far funzionare il PC abbiamo dovuto riavviare.

Per quanto sopra esposto, restiamo in attesa di cortese e sollecito riscontro.

Distinti saluti

Marco Aloisi

Ascolta i testi che seguono e svolgi il compito richiesto.

N. **Ascoltare** e comprendere

Ascolterai la segretaria di un'azienda italiana che chiama il responsabile dell'amministrazione per fare delle richieste (elencate nella lista A – G) .

Individuare la richiesta effettuata e trascrivere la lettera corrispondente nell'apposito spazio.
(Ascoltare i testi due volte).

Richiesta n. 1 ....
Richiesta n. 2 ....
Richiesta n. 3 ....
Richiesta n. 4 ....
Richiesta n. 5 ....

A. Acquisto nuovi servizi
B. Acquisto materiale
C. Sostituzione fornitore
D. Sostituzione apparecchio perché difettoso
E. Intervento di assistenza tecnica
F. Sostituzione apparecchi perché non funzionali
G. Rivendita apparecchi usati

Svolgi il compito seguente

O. Parlare

Sei il /la segretario/a "tuttofare" di una piccola azienda italiana.
Prima di andare in ferie per un mese devi spiegare alla persona che ti sostituirà tutte le mansioni da svolgere:
commissioni esterne (banche, ufficio postale, studio del commercialista dell'azienda, etc.)
mansioni interne (centralino telefonico, invio fax, fotocopie e archiviazione documenti, etc.)

Prepara un breve monologo (2-3 minuti) ed esponilo di fronte ai compagni e all'insegnante.

In un'azienda è molto importante saper gestire bene i canali che permettono di comunicare con l'esterno.
Il "Numero Verde" telefonico è un ottimo servizio che facilita il contatto tra aziende e clienti.
Ma quanto costa alle aziende attivare un servizio di questo genere?

I tre testi che seguono illustrano le offerte di tre compagnie telefoniche.

Leggi i testi e svolgi il compito richiesto.

P. **Leggere** e comprendere

Leggere i testi indicati con A, B e C.
Abbinare le informazioni di seguito elencate al testo relativo, barrando la casella A se l'informazione è relativa al testo A, le caselle B o C se le informazioni sono relative ai testi B o C

TESTO A

VOX PER LE AZIENDE
Siamo lieti di annunciarVi che la nostra offerta di telefonia "Vox per le aziende" si è arricchita di un nuovo servizio di Numero Verde in grado di soddisfare al meglio le Vostre esigenze e di offrirVi una serie di vantaggi.

Vediamo quali.

Risparmio sui costi
Con "Verde Voce 800" i costi delle telefonate in entrata non graveranno solo sulla Vostra Azienda.
Il nostro servizio prevede infatti la ripartizione dei costi delle telefonate tra chi chiama e l'azienda intestataria del numero.
Inoltre, su richiesta, avrete a disposizione un dispositivo per bloccare le chiamate in entrata che provengono da prefissi di rete mobile.

Linee sempre libere
Con "Verde Voce 800" chi Vi chiama avrà la garanzia di trovare sempre una linea libera e Voi avrete la certezza che nessuna telefonata importante andrà perduta.
Se disponete di più linee telefoniche, infatti, potrete indicare numeri telefonici alternativi verso cui indirizzare le chiamate quando il numero è occupato o non risponde.

Servizi in più
"Verde Voce 800" Vi offre una serie di servizi aggiuntivi.

Se la Vostra azienda ha diverse sedi su tutto il territorio nazionale, Vi consigliamo di attivare il servizio di instradamento delle telefonate su base oraria. Al mattino potrà rispondere la Vostra sede di Firenze, il pomeriggio la Vostra sede di Roma e la notte potrete affidarVi al servizio di una società specializzata. Grazie a questo servizio chi Vi chiama troverà sempre qualcuno che risponde: 24 ore su 24!

Se pensate che l'immagine della Vostra azienda sia un fattore importante Vi consigliamo poi "il servizio cortesia". Nei giorni di chiusura della Vostra azienda sarà possibile attivare un messaggio preregistrato che comunicherà ai Vostri clienti che il servizio non è attivo e darà indicazioni sugli orari di apertura.

TESTO B

PLUS2000 è il nuovo Numero Verde per aziende moderne ed efficienti.

Aziende moderne ed efficienti come la Vostra!

Il Numero Verde PLUS2000 Vi permette di ricevere chiamate da telefoni fissi e cellulari in ogni parte d'Italia senza alcun costo per il chiamante.
I Vostri clienti potranno così ricevere gratuitamente assistenza telefonica sui Vostri prodotti e sui servizi che offrite. Un grande vantaggio che Vi permetterà di sviluppare più efficacemente le Vostre campagne promozionali ed incrementare il traffico telefonico ottimizzando gli investimenti ad esso dedicati.

Rispondiamo alle Vostre esigenze
PLUS2000 può essere personalizzato in base alle esigenze della Vostra azienda.
Sarete Voi a decidere da chi, come, dove e quando farVi chiamare, eliminando i costi delle chiamate inutili.

E se già la Vostra azienda dispone di un Numero Verde, nessun problema! Potrete acquisire tutti i servizi di PLUS2000 senza dover cambiare numero.

Un'offerta eccezionale
Scegliete Plus2000 ENTRO IL 30 GENNAIO 2004 e la Vostra azienda usufruirà di due vantaggiose formule di sconto, in alternativa:
- Opzione PLUS2033 è l'opzione che prevede sconti del 33% per le aziende che ricevono chiamate, distribuite uniformemente, da tutta l'Italia,
- Opzione PLUS2039 è l'opzione che prevede sconti del 39% per le aziende che ricevono la maggior parte delle chiamate da aree limitate.

TESTO C

EASYFONE
La nostra società telefonica è in grado di rispondere a tutte le esigenze di comunicazione delle imprese.
Tra le nuove offerte Vi segnaliamo il servizio di Numero Verde "EasyVerde".

EasyVerde Vi permette di associare il Numero Verde ad un numero di rete fissa o mobile , assicurandoVi così la completa reperibilità e la possibilità di fornire informazioni su prodotti e servizi in qualunque occasione.
Anche se si trovano fuori sede, i dipendenti della Vostra azienda potranno eseguire le operazioni in mobilità ricevendo le chiamate direttamente al telefono cellulare. In ogni momento le esigenze dei Vostri clienti saranno così soddisfatte.

Il nostro piano tariffario non prevede costi di attivazione né canone d'abbonamento, prevede solo un addebito di 15 cent (comprensivi di Iva al 20%) per tutte le chiamate; inoltre, al superamento di certi volumi di traffico, sarà effettuata una tariffazione scontata fino al 30%.

	A	B	C
1. E' possibile mantenere invariato il Numero Verde già esistente	☐	☐	☐
2. Le telefonate al Numero Verde non sono gratuite per chi chiama	☐	☐	☐
3. Le chiamate si ricevono anche da apparecchi telefonici esterni alla sede dell'azienda	☐	☐	☐
4. L'azienda non dovrà pagare il canone alla società telefonica	☐	☐	☐
5. Le chiamate provenienti dai cellulari possono essere bloccate	☐	☐	☐
6. Lo sconto sul costo del servizio dipende dal numero di chiamate ricevute dall'azienda	☐	☐	☐
7. Le telefonate possono pervenire a sedi diverse a seconda dell'ora della chiamata	☐	☐	☐
8. Lo sconto sul costo del servizio dipende dall'ampiezza del territorio da cui provengono le chiamate.	☐	☐	☐
9. Si può attivare una segreteria telefonica nei giorni festivi	☐	☐	☐

La promozione dei prodotti

UNITÀ 4

U4

Le fiere – La pubblicità

Le fiere

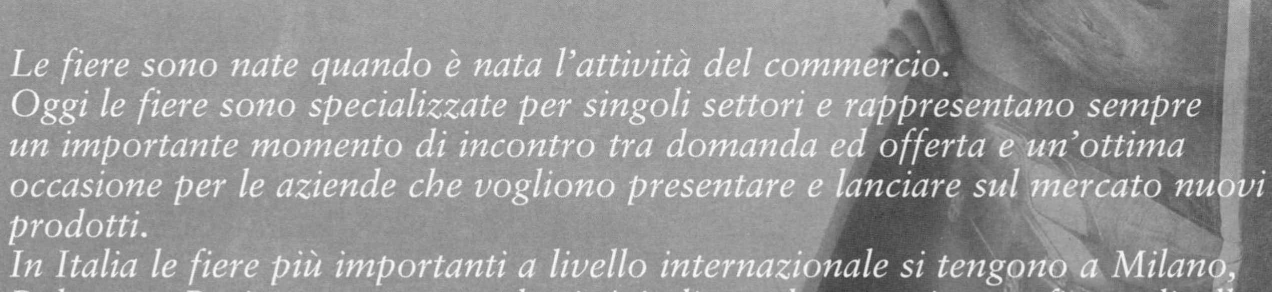

Le fiere sono nate quando è nata l'attività del commercio.
Oggi le fiere sono specializzate per singoli settori e rappresentano sempre un importante momento di incontro tra domanda ed offerta e un'ottima occasione per le aziende che vogliono presentare e lanciare sul mercato nuovi prodotti.
In Italia le fiere più importanti a livello internazionale si tengono a Milano, Bologna e Bari, ma tante sono le città italiane che organizzano fiere a livello locale e regionale.

Leggi di seguito la presentazione di due fiere e svolgi il compito richiesto.

A. **Leggere** e comprendere

Leggere i testi seguenti e indicare con X la lettera A, B o C corrispondente all'affermazione corretta fra le tre proposte.

PRIMO TESTO

Anche nel 2003 tornerà il "Salone dell'Edilizia della Provincia di Sondrio e dell'Alto Lario" che si svolgerà dal 7 al 9 marzo presso il Polo Fieristico di Morbegno.
Dopo il successo dell'edizione 2002, in cui l'evento era inserito nel più ampio contesto di "Expocasa", si è ritenuto, sia per le richieste di espositori e pubblico, sia per l'importanza che tale settore riveste sul territorio provinciale, di dar vita ad uno spazio completamente riservato all'edilizia.
Una grande novità quindi per un appuntamento tradizionale che da sempre riscuote grande successo grazie anche al fatto che nella provincia di Sondrio e in quelle limitrofe (Lecco, Como, Altobresciano e Svizzera - Canton Grigioni e Ticino) il comparto edile, come noto, costituisce una realtà economica di primaria importanza.

(tratto da www.bbcpromotion.com.)

Rispetto alla precedente edizione del 2002, il "Salone dell'Edilizia della Provincia di Sondrio e dell'Alto Lario" del 2003 presenta la seguente novità:

☐ A non si chiamerà più "Expocasa"
☐ B si svolgerà in modo autonomo
☐ C saranno presenti espositori svizzeri

SECONDO TESTO

GRANDE ATTESA PER LA 44. MIG – MOSTRA INTERNAZIONALE DEL GELATO

Il mondo del gelato artigianale guarda con grande ottimismo alla 44. MIG, la Mostra Internazionale del Gelato, in programma a Longarone Fiere (Belluno) da venerdì 28 novembre a martedì 2 dicembre 2003. La rassegna mai come quest'anno è attesa dagli addetti ai lavori poichè arriva al termine di una stagione eccellente per il consumo di gelato in Europa e anche in Italia, dove si registra un aumento nell'ordine del 10/15 %. Anche le associazioni dei gelatieri italiani operanti in Germania, Austria e Olanda, che hanno nella MIG il loro tradizionale punto di riferimento, confermano i dati di una stagione decisamente positiva nonostante la difficile congiuntura economica generale.

(tratto da www.mostradelgelato.it)

La 44. Mostra del Gelato Artigianale è molto attesa perché

☐ A l'economia, a livello generale, è ormai uscita dalla crisi
☐ B arriveranno visitatori da Germania, Austria e Olanda
☐ C la passata stagione è stata favorevole per il mercato del gelato

Ascolterai di seguito il dialogo al telefono tra l'impiegata della società che organizza la "Fiera del Mobile" e il direttore vendite di un'azienda italiana.

Ascolta il dialogo e svolgi il compito richiesto.

B. **Ascoltare** e comprendere

Ascoltare il dialogo (due volte).
Riempire gli appositi spazi con le informazioni opportune.

FIERA DEL MOBILE

Durata della fiera	a)				
Data ultima per la prenotazione dello stand	b)				
Superfici stands	c)		d)		e)
Prezzo stand	f)				
Servizio Hostess.	1) opzione g)		Costo h)		
	2) opzione i)		Costo l)		
Alberghi convenzionati					
	1) Hotel m)		Costo n)		
	2) Hotel o)		Costo p)		

Svolgi il compito seguente.

C. Parlare

Lavori ad una fiera presso lo stand di un'azienda italiana che produce elettrodomestici.

Devi preparare un discorso di presentazione della tua azienda e dei prodotti per tutti i clienti che si avvicineranno allo stand per chiedere informazioni.

Prepara un monologo di 3/4 minuti ed esponilo di fronte all'insegnante e ai compagni.

Anche i governi e le istituzioni organizzano manifestazioni durante le quali le aziende si possono incontrare.

Leggerai di seguito la presentazione di una manifestazione, nata su iniziativa dell'Unione Europea.

Leggi il testo e svolgi il compito richiesto.

D. **Grammatica** e lessico

Completare il testo. Inserire la parola mancante negli spazi numerati. Usare una sola parola.

EU-Mashrek Partenariat
Damasco, 23-25 ottobre 2003
L'Evento

L'EU-Mashrek Partenariat 2003 che si svolgerà a Damasco dal 23 **1)** .... 25 ottobre 2003 è un'iniziativa della Commissione Europea con lo scopo **2)** .... creare e rafforzare le relazioni economiche tra **3)** .... due rive del Mediterraneo, ed in **4)** .... tra Europa e Regione del Mashrek, attraverso l'organizzazione di circa 6.000 **5)** .... di lavoro tra 250 imprese siriane, libanesi e giordane e 350 imprese dell'Unione Europea.
Gli organizzatori locali (Federazione Siriana delle Camere di Commercio –FSCC–, la Camera di Commercio, Industria e Agricoltura di Beirut –CCIAB– e i Centri Commerciali e di Cooperazione dell'Export Giordano –JEDCO–) hanno selezionato le imprese locali appartenenti ai **6)** .... promettenti settori industriali e rappresentanti delle realtà economiche più sviluppate.

I settori selezionati sono i **7)** ....:
> Tessile, abbigliamento, prodotti del cuoio e relativi macchinari
> Alimentare, trasformazione e packaging
> Costruzione, materiali da costruzione e relativi macchinari
> Tecnologia dell'informazione e software
> Turismo e servizi

La società organizzatrice "Mondimpresa" offre una **8)** .... di servizi gratuiti alle imprese partecipanti:

- Possibilità d'incontrare 250 imprese siriane, libanesi e giordane selezionate
- La possibilità d'incontrare 350 imprese **9)** .... da tutti i paesi dell'Unione Europea
- L'inserimento della Vostra azienda nel sito ufficiale della manifestazione
- Servizio di interpretariato
- La partecipazione **10)** .... seminari ed incontri collaterali durante la manifestazione

Inoltre gli imprenditori **11)** .... saranno presenti avranno delle facilitazioni a livello logistico (organizzazione, trasporti, sconti **12)** .... prenotazioni alberghiere ed i viaggi aerei).

(tratto da www.mondimpresa.it)

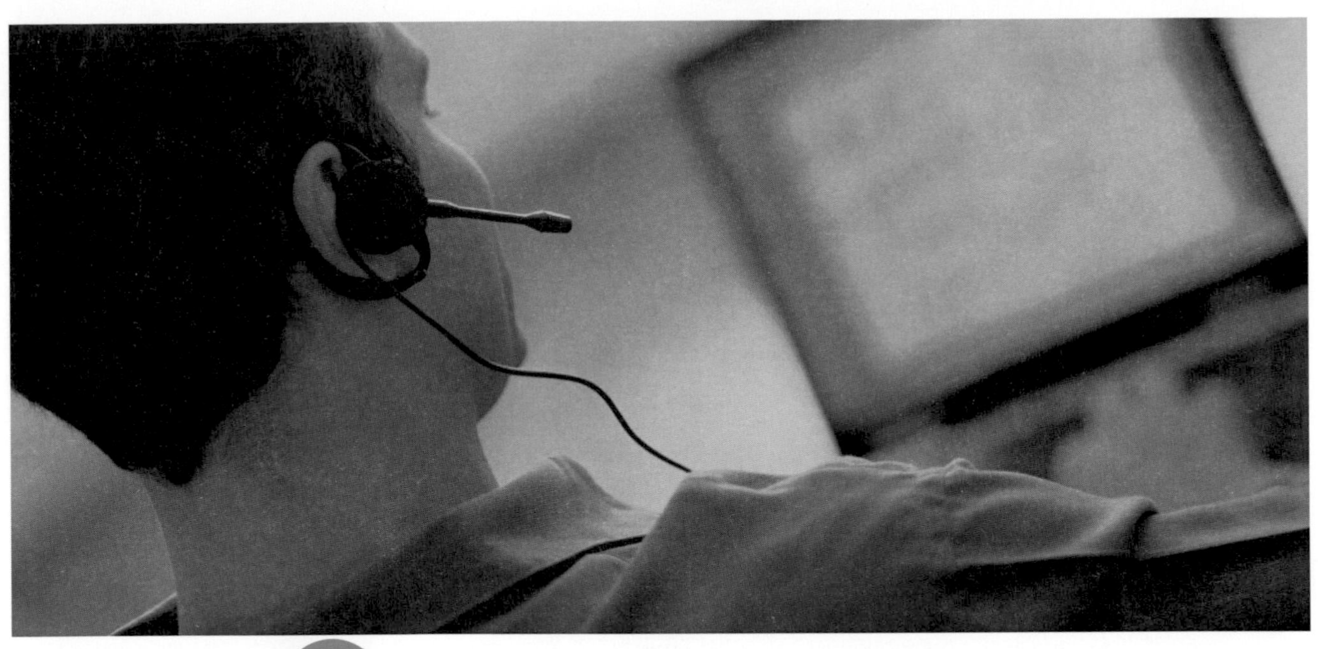

E. Scrivere

Sei il responsabile export di un'azienda italiana che produce prodotti in pelle e cuoio (calzature, cinture, borse).
La tua azienda ha deciso di partecipare alla manifestazione EU-Mashrek Partenariat.

Scrivi una lettera alla società organizzatrice "Mondimpresa" specificando le date di arrivo e partenza della delegazione della tua azienda.

Richiedi inoltre il servizio di organizzazione viaggio (albergo e aereo) .
(ca. 100 parole)

L'Italia è conosciuta in tutto il mondo per i suoi grandi stilisti di moda.

In Italia grandi eventi e manifestazioni accompagnano la presentazione delle nuove collezioni degli stilisti.

Di seguito ascolterai un'addetta del settore che ci racconta le sue impressioni al ritorno dalla manifestazione "Milano Moda Donna".

Ascolta l'intervista e svolgi il compito richiesto.

F. **Ascoltare** e comprendere

Ascoltare l'intervista due volte.
Indicare con X la lettera A, B, o C corrispondente all'affermazione corretta fra le tre proposte.

1. La signora Baldissoni
- ☐ A sceglie di giorno in giorno cosa vedere
- ☐ B va solo dove è stata invitata
- ☐ C ha un preciso calendario di impegni

2. Le feste organizzate durante la settimana della moda
- ☐ A sono riservate agli addetti ai lavori
- ☐ B hanno un numero di ospiti prestabilito
- ☐ C sono aperte a chiunque sia interessato

3. La Signora Baldissoni partecipa a "Milano Moda Donna"
- ☐ A perché non è interessata all'alta moda
- ☐ B perché è utile per il suo lavoro
- ☐ C per conoscere gli stilisti emergenti

4. Il settore della moda
- ☐ A risente della situazione economica generale
- ☐ B può sempre contare su una clientela sicura
- ☐ C non consente alcuna previsione per il futuro

La pubblicità

*In un mondo in cui la comunicazione e l'immagine hanno un ruolo essenziale, la pubblicità è sempre aperta a nuove possibilità e a nuove idee.
Alle tradizionali strategie pubblicitarie (stampa, radio e televisione, cartellonistica) gli esperti della comunicazione aziendale oggi affiancano altri mezzi per lanciare un prodotto sul mercato.*

Leggi il testo che segue e svolgi il compito richiesto.

G. **Leggere** e comprendere

Leggere attentamente il testo e svolgere i compiti indicati di seguito.

PUBBLICITÀ OGGI

1. Uno dei nuovi modi per interessare il pubblico all'acquisto è l'organizzazione di feste, cene, serate speciali.
   Queste manifestazioni hanno l'obiettivo di incentivare gli invitati all'acquisto di determinati prodotti.
   I potenziali clienti partecipano ad una cena, ad una piacevole riunione, ad una vendita all'asta, ad un evento interessante e nel frattempo hanno l'occasione di conoscere ed apprezzare il prodotto proposto.

2. Un'altra novità in fatto di pubblicità consiste nella produzione di cortometraggi che hanno l'esplicito intento di proporre immagini dell'oggetto o del servizio reclamizzato. Non si tratta di "persuasione occulta", cioè indiretta e non dichiarata. Lo spettatore può apprezzare trama e personaggi sapendo che contemporaneamente gli viene proposto un certo prodotto, ad esempio una nuova automobile.

3. Naturalmente nel nuovo panorama della comunicazione promozionale non poteva mancare un mezzo potente come la rete telematica: i siti delle aziende propongono i prodotti in modo accattivante, presentano l'intera gamma della produzione e forniscono diverse opzioni di acquisto. Non mancano

notizie storiche sulle aziende più importanti.
Tutti gli eventi commerciali di rilievo, a cominciare dalle fiere di settore, hanno il loro spazio.

4. Queste strategie pubblicitarie hanno l'obiettivo di coinvolgere il più possibile il futuro cliente. Non si tratta più (o non solo) di guardare un cartellone o ascoltare uno slogan, ma di partecipare in qualche modo allo svolgimento del processo promozionale, di essere interessati ad una comunicazione interattiva, che è molto più coinvolgente.

Compito n. 1
Scegliere dalla lista A-F il titolo più adatto per ciascuno dei quattro paragrafi in cui è diviso il testo. Trascrivere la lettera corrispondente nell'apposito spazio.

Paragrafo 1 ....
Paragrafo 2 ....
Paragrafo 3 ....
Paragrafo 4 ....

A. Cinema e pubblicità
B. Come fare acquisti "on line"
C. Il cliente da spettatore a protagonista
D. Eventi promozionali
E. La nuova pubblicità delle automobili
F. La pubblicità via Internet

Compito n.2
Scegliere dalla lista G-N la parola più adatta a completare le frasi. Trascrivere la lettera corrispondente nell'apposito spazio.

1. Le nuove tecniche pubblicitarie rendono il pubblico molto più....
2. Su Internet è possibile visitare i siti...
3. Gli invitati agli eventi promozionali rappresentano il target ...
4. Alcuni registi cinematografici realizzano per la pubblicità brevi...

G. aziendali
H. comunicati
I. attivo
L. filmati
M. di rimando
N. di riferimento

**Al lavoro! Ora tocca a te organizzare una bella festa per promuovere un prodotto.
Svolgi il compito seguente.**

H. **Parlare**

Sei il/la responsabile alle pubbliche relazioni di una grande azienda italiana (settore a scelta).

Per promuovere il lancio di un nuovo prodotto l'azienda ti incarica di organizzare una grande festa.
Per organizzare la festa tu chiedi aiuto ad un/una collega.
Insieme discutete in merito a:
- *location* della festa
- invitati
- cena (cena di gala o buffet, menu, vini, etc.)
- omaggi per gli invitati
- modo migliore per promuovere il prodotto

Lavora con l'insegnante o un compagno e simulate il dialogo.

Con l'avvento delle nuove tecnologie, tutte le aziende, ormai, promuovono i loro prodotti attraverso Internet.
Anche un prodotto italiano così tradizionale come il vino si presenta oggi sul web.

I testi seguenti sono tratti dai siti Internet di tre importanti aziende vinicole italiane.

Leggi i testi e svolgi il compito seguente.

I. Leggere e comprendere

Leggere i testi indicati con A, B e C.
Abbinare le informazioni di seguito elencate al testo relativo, barrando la casella A se l'informazione è relativa al testo A, le caselle B o C se le informazioni sono relative ai testi B o C.

A) TAVERNELLO

Tavernello, un vino genuino, fresco, adatto alla tavola di tutti i giorni, è da molti anni ormai uno dei principali prodotti di CAVIRO, Cooperativa Agricola che riunisce viticoltori su tutto il territorio italiano. Dal 1983 il Tavernello è venduto in contenitori "brik", in cartone. Prima di vendere il vino in contenitori alternativi, Caviro aveva realizzato un lungo periodo di test con la Facoltà di Agraria dell'Università di Bologna e con Tetra Pak: in ogni caso il futuro del vino "brik" non era così scontato, poiché c'era da superare la diffidenza dei commercianti e (soprattutto) del consumatore verso un contenitore così particolare (il vino va solo nel vetro, nel brik ci si mette di solito il latte o i succhi di frutta...). Oggi i consumatori di questo vino possono acquistarlo facilmente nei punti vendita della grande distribuzione moderna, su tutto il territorio nazionale ed apprezzarne la qualità.
Dopo tanti anni dallo sviluppo di questa idea innovativa nel mondo del vino, Tavernello continua a migliorarsi, con un ulteriore passo avanti nel formato e nelle caratteristiche del contenitore, oltre ad una consueta e sempre attenta serie di controlli che garantisce la freschezza e la fragranza del prodotto in ogni fase: dalla coltivazione dell'uva a quando arriva sulla tavola del consumatore finale.
Una recente campagna pubblicitaria televisiva esalta la genuinità del prodotto; contemporaneamente propone il vino in brik con leggerezza, suggerendo un consumo più facile per tutti .

(testo adattato, tratto dal sito www.ivinidicaviro.it)

B) I VINI ANTINORI

La famiglia Antinori si occupa di produzione vinicola dal 1385. In tutta la sua lunga storia, attraverso 26 generazioni, la famiglia ha sempre gestito direttamente questa attività. L'azienda è diretta oggi dal

Marchese Piero Antinori, un leader capace, un uomo intraprendente con ampie vedute.
Se si potesse riassumere la filosofia degli Antinori in una frase, secondo Piero Antinori, sarebbe la seguente: "Le antiche radici giocano un ruolo importante nella nostra filosofia, ma non hanno mai inibito il nostro spirito innovativo."
Infatti Antinori fa continui esperimenti nei suoi vigneti e cantine con selezioni di cloni di uve indigene ed internazionali, tipi di coltivazioni, altitudini dei vigneti, metodi di fermentazione e temperature, tecniche di vinificazione tradizionali e moderne, tipi di legno, dimensioni ed età delle botti, e variando la lunghezza dell'invecchiamento in bottiglia.
Il successo di questo lavoro ha permesso alla società di produrre una notevole gamma di vini di qualità provenienti dalle diverse tenute. Pur essendosi concentrato principalmente in Toscana ed Umbria, Piero Antinori ha anche fatto investimenti in altre aree (Piemonte, California, Ungheria).
Piero Antinori ha ricevuto, negli anni, riconoscimenti internazionali e numerosi premi e gode di una reputazione sia di leader che di creatore di tendenza.

(testo adattato, tratto dal sito www.antinori.it)

C) IL BRUNELLO DI MONTALCINO

Nel territorio del comune di Montalcino, in provincia di Siena, si produce il Brunello.
In una nazione, l'Italia, che produce vino da circa 3.500 anni, il Brunello di Montalcino puo' essere considerato un'invenzione moderna. Non si tratta infatti di un vino prodotto in omaggio alle locali tradizioni, ma è il frutto degli studi fatti nella seconda metà dell'Ottocento da un singolo viticoltore, Ferruccio Biondi Santi. Il Brunello veniva, e viene tutt'ora, sottoposto ad un processo di affinamento di almeno quattro anni in botti di rovere, completato poi in bottiglia dove sviluppa nel corso del tempo le sue pregiate qualità.
Il Brunello cominciò a far parlare di sé a partire dal 1880. La prima grande annata "ufficiale" del Brunello fu quella del 1888, di cui esistono ancora cinque bottiglie, perfettamente integre, a riprova della sua grande longevità.

Una famosa azienda produttrice del Brunello di Montalcino è la Fattoria dei Barbi, che dal 1790 è di proprietà della famiglia Colombini.
Stefano Cinelli Colombini si occupa direttamente di tutti gli aspetti, dalla produzione alla commercializzazione dei vari prodotti, combinando la tradizione secolare della famiglia con lo stile innovativo e dinamico della moderna vinificazione.Tutti i vini prodotti hanno le caratteristiche tipiche del Brunello (grande intensità di corpo e di colore, aromi complessi ed evoluti, capacità di lungo invecchiamento).
Tali qualità vengono accentuate ed hanno la possibilità di esprimersi al meglio nel famoso vino "Riserva".
Esso è prodotto solo nelle annate migliori ed è il frutto di un'attenta selezione che inizia dalla vendemmia, prosegue in cantina con l'invecchiamento in botte più a lungo rispetto al Brunello normale e si conclude con l'affinamento in bottiglia, prima della messa in commercio. Il risultato è un vino per occasioni particolari, un vino da meditazione.
(testo adattato, tratto dal sito www.fattoriadeibarbi.it)

	A	B	C
1. L'azienda vinicola esiste da oltre 600 anni	☐	☐	☐
2. Il vino è prodotto in una zona ben delimitata	☐	☐	☐
3. Si investe molto in programmi di ricerca	☐	☐	☐
4. Le uve utilizzate provengono da tutta l'Italia	☐	☐	☐
5. Il vino viene confezionato in pratiche scatole	☐	☐	☐
6. Alcune bottiglie di vino si conservano da oltre 100 anni	☐	☐	☐
7. Si può trovare il prodotto nei supermercati	☐	☐	☐
8. Uno dei vini prodotti è particolarmente pregiato	☐	☐	☐
9. L'azienda ha possedimenti in Italia e all'estero	☐	☐	☐
10. E' un prodotto di qualità, anche se di largo consumo	☐	☐	☐

Lo slogan pubblicitario,ovvero la piccola frase con un grande effetto sul consumatore, rimane comunque un mezzo pubblicitario ancora utilizzato.

Svolgi il compito seguente.

L. **Ascoltare** e comprendere

Ascolterai 5 slogan pubblicitari relativi a 5 elettrodomestici o articoli di elettronica (elencati nella lista A-G).
Scegliere il prodotto corrispondente a ciascuno slogan e trascrivere la lettera corrispondente nell'apposito spazio. (Ascoltare gli slogan due volte)

Slogan 1 ....
Slogan 2 ....
Slogan 3 ....
Slogan 4 ....
Slogan 5 ....

A. lavastoviglie
B. lavatrice
C. cucina
D. televisore
E. videoregistratore
F. videocamera
G. forno a microonde

Leggi ora altre frasi tipiche del linguaggio della pubblicità e svolgi il compito richiesto.

M. **Grammatica** e lessico

Scegliere la parola opportuna, tra le quattro proposte, per completare le seguenti frasi.
Trascrivere la lettera corrispondente alla parola scelta nell'apposito spazio.

1. Le nostre cucine sono conformi ai requisiti di .... richiesti dalle normative europee.
   - ☐ A. assicurazione ☐ B. sicurezza ☐ C. tutela ☐ D. protezione

2. La Italtronic progetta e .... prodotti ad alto livello tecnologico.
   - ☐ A. costituisce ☐ B. edifica ☐ C. forma ☐ D. costruisce

3. L'offerta di .... rateale senza interessi è valida fino al 31 dicembre.
   - ☐ A. paga ☐ B. deposito ☐ C. pagamento ☐ D. acconto

4. Oggi le nostre specialità vengono proposte in una .... confezione "salvaspazio".
   - ☐ A. speciale ☐ B. rara ☐ C. peculiare ☐ D. grande

5. .... si lascerà tentare da "Delizia" scoprirà un gusto mai provato prima.
   - ☐ A. qualunque ☐ B. quello ☐ C. chi ☐ D. ognuno

6. Per maggiori informazioni è a disposizione .... clienti il nostro Numero Verde.
   - ☐ A. ai ☐ B. sui ☐ C. dei ☐ D. dai

7. La nostra azienda .... presente sul mercato internazionale dal 1971.
   - ☐ A. fu ☐ B. era ☐ C. sarebbe ☐ D. è

8. Con la nostra .... siamo in grado di garantire qualità, efficienza e flessibilità.
   - ☐ A. conoscenza ☐ B. praticità ☐ C. esperienza ☐ D. saggezza

9. Il Gruppo Miraconf ha creato una catena di negozi .... franchising in Italia e all'estero.
   - ☐ A. in ☐ B. per ☐ C. di ☐ D. su

Una prova d'esame

U5

UNITÀ 5

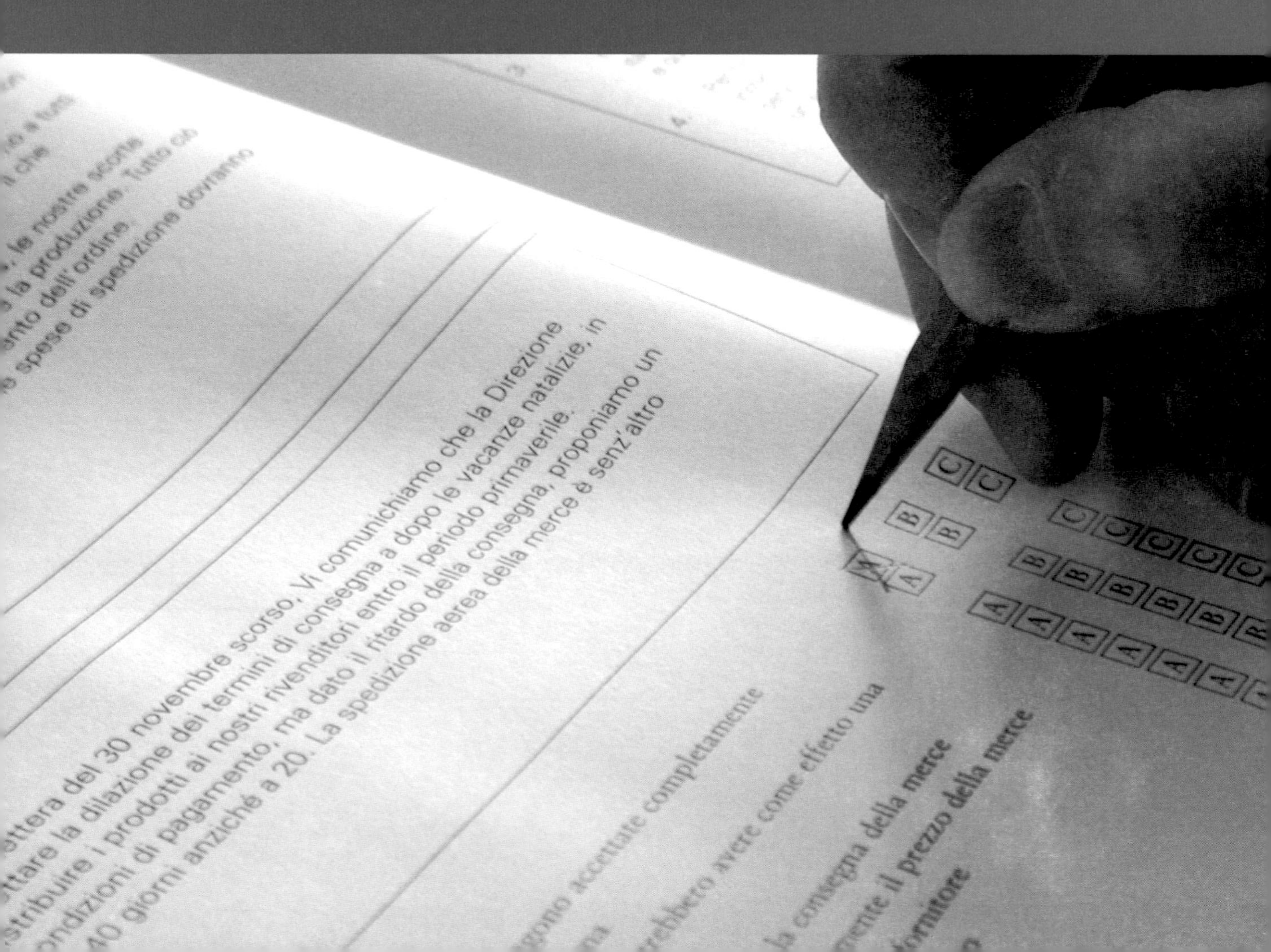

Comprensione della lettura

A.1

Leggere i testi.

Indicare con X la lettera A, B o C corrispondente all'affermazione corretta fra le tre proposte.

1.

Per le importazioni via mare la Nuova Zelanda ha introdotto delle nuove norme che riguardano lo stato di pulizia dei contenitori ('container') utilizzati, l'imballaggio delle merci e lo svuotamento dei contenitori.

Al mittente verrà richiesto, unitamente alla documentazione commerciale d'uso, una dichiarazione, su carta intestata, con la quale si attesta lo stato del contenitore e del materiale utilizzato per l'imballaggio delle merci.

Per esportare in Nuova Zelanda sarà obbligatorio

- ☐ A predisporre nuova documentazione
- ☐ B lavare le merci prima della partenza
- ☐ C imballare le merci con materiali speciali

2.

Spett.le Ditta ALNU,
Con riferimento alla nostra telefonata odierna, Vi confermiamo che il 15% della merce da Voi inviataci non è conforme al nostro ordine. Tuttavia siamo disposti a trattenere gli articoli non conformi, a fronte di uno sconto del 25% sul prezzo per essi concordato.
Nel caso di una Vostra tacita accettazione di tale proposta, inviateci una nuova fattura e provvederemo al saldo entro fine mese.
Distinti saluti.

Il Direttore dell'ufficio acquisti
Rag. Mario Soldani

La lettera del Rag.Soldani trasmette

- ☐ A la richiesta di invio di una fattura non ancora pervenuta
- ☐ B la proposta di uno sconto sulla merce non corrispondente all'ordine
- ☐ C la disponibilità a trattenere solo gli articoli conformi all'ordine

3.

Potete acquistare on-line i nostri prodotti e pagare con carta di credito o tramite bonifico bancario.
Se utilizzerete la carta di credito, potrete contare su operazioni totalmente sicure, perchè i Vostri dati personali non saranno visibili ad altri. Al termine della procedura d'acquisto dovrete indicare tipo, numero e scadenza della carta per completare l'ordine.
Se effettuerete un bonifico bancario, dovrete indicare come causale del versamento il numero dell'ordine che sarà visualizzato al termine dell'acquisto.
L'ordine sarà evaso dopo il riscontro dell'avvenuto pagamento.

Il cliente deve

- ☐ A garantire l'impegno di pagamento
- ☐ B nascondere la propria identità
- ☐ C dare inizio all'evasione dell'ordine

4.

A Rho-Pero, a pochi chilometri da Milano, è in costruzione il nuovo polo della Fiera,che si svilupperà su un'area di 2.000.000 di mq. Dei 260.000 mq dell'attuale Fiera di Milano, due terzi saranno destinati a verde pubblico, ad area residenziale e a servizi; un terzo continuerà ad essere utilizzato per mostre e manifestazioni e costituirà il polo urbano della Fiera. Al termine di questa grande opera di ampliamento e di rinnovamento, Milano avrà uno dei sistemi fieristici più grandi al mondo.

La Fiera di Milano avrà a disposizione

- ☐ A una sede in città ed una fuori
- ☐ B un unico grande polo
- ☐ C un'area di 2.260.000 mq

5.

L'Unione Regionale delle Camere di Commercio dell'Emilia Romagna e le Camere di Commercio della Regione hanno promosso la realizzazione di una Guida alle agevolazioni finanziarie per le imprese dell'Emilia Romagna, una banca dati in cui trovare le informazioni e le modalità per accedere ai contributi e alle agevolazioni di fonte comunitaria, nazionale, regionale e locale disponibili per le imprese dell'Emilia Romagna.
Le Camere di Commercio distribuiscono materiale informativo e modulistica per accedere ad agevolazioni per:
- imprenditoria femminile (legge 215/92)
- incentivi fiscali al commercio e turismo (legge 449/97 art.11)
- imprenditorialità giovanile

(tratto dal sito www.riminieconomia.it)

Le Camere di Commercio dell'Emilia Romagna

☐ A offrono finanziamenti a donne e a giovani imprenditori
☐ B danno informazioni sulle leggi che regolano i finanziamenti
☐ C realizzano progetti finanziati dall'Unione Europea

6.

Il Ministero della Salute, con nota prot. 600.3/SP. 31/932 del 21 febbraio 2003, ha trasmesso il nuovo certificato sanitario per l'esportazione dall'Italia verso gli USA di prodotti a base di carne. È da mettere assolutamente in evidenza che il nuovo certificato amplia notevolmente la gamma di prodotti di salumeria italiani esportabili negli Stati Uniti, che era finora limitata ai prosciutti con stagionatura superiore a 400 giorni, prodotti con cosce provenienti da suini nati e allevati in Italia, e ad alcuni prodotti cotti.

(tratto dal sito http://www.pubit.it/index.html)

La nota prot. 600.3/SP. 31/932 del 21 febbraio 2003 prevede che

☐ A non si potranno più esportare negli USA i prosciutti stagionati
☐ B sarà possibile esportare più tipi di prodotti di salumeria
☐ C si aprirà verso gli USA l'esportazione di suini nati in Italia

7.

NOVITÀ SPEEDO: JETSTREAM, LA NUOVA LINEA MASCHILE DI COSTUMI E ABBIGLIAMENTO
Novità assoluta per il 2003 è la linea maschile JetStream, che riprende una linea di costumi e abbigliamento Speedo originaria degli anni Sessanta. Questa nuova collezione maschile offre un look contemporaneo e alla moda, che rivisita in chiave moderna il grande passato *beachwear* di Speedo, marchio interprete da sempre non solo di vittorie e record mondiali e olimpici, ma anche di nuovi trend e di nuovi modi di vivere il mare.

(tratto dal sito http://www.marketpress.info/index.html)

La linea di costumi e abbigliamento JetStream

☐ A è stata realizzata per gli atleti delle prossime olimpiadi
☐ B si adatta bene anche agli uomini di una certa età
☐ C si ispira a modelli realizzati in passato da "Speedo"

8.

A partire da oggi, regole più strette per il commercio di prodotti chimici pericolosi tra l'Unione Europea e gli Stati terzi. Con l'entrata in vigore del nuovo **regolamento europeo n. 304/2003**, l'import-export di numerose sostanze ritenute dannose per la salute e per l'ambiente (tutte elencate negli allegati del neo-provvedimento) sarà infatti regolato da una nuova procedura che prevede un oneroso iter di notifiche alle Autorità Pubbliche competenti prima di poter avviare il trasferimento dei beni.

(tratto dal sito www.reteambiente.it)

Il nuovo regolamento europeo n. 304/2003

☐ A prevede procedure più lunghe per l'import-export di alcune sostanze chimiche
☐ B elenca in un allegato tutte le sostanze chimiche che non si possono più importare
☐ C prevede che solo le Autorità Pubbliche potranno esportare alcune sostanze chimiche

A.2

Leggere i testi indicati con A , B e C.
Abbinare le informazioni di seguito elencate al testo relativo, barrando la casella A se l'informazione è relativa al testo A, le caselle B o C se le informazioni sono relative ai testi B o C.

A

Egregi Signori,

in risposta alla Vostra del 10 giugno scorso, siamo spiacenti di comunicarVi che non possiamo accettare le condizioni di vendita.
I Vostri termini di consegna causerebbero infatti alla nostra ditta notevoli inconvenienti, facendoci correre il rischio di vedere alcuni importanti clienti rivolgersi ad altri grossisti.
La scelta della ferrovia da Voi proposta come mezzo di trasporto ci sembra infelice per i tempi di consegna troppo dilatati, Vi consigliamo quindi di servirVi della " Trans Italy Express".
Inoltre riteniamo troppo alti i Vostri prezzi "franco stabilimento". La nostra ditta non vorrebbe più sostenere tutte le spese e i rischi di spedizione, ragione per cui Vi chiediamo di inviarci un'offerta "franco destinatario".
Certi che comprenderete la nostra posizione, restiamo in attesa di una Vostra opinione a riguardo.

Cordiali saluti.
Moda Giovane s.r.l.

B

Spett.le Moda Giovane,

in risposta alla Vostra lettera del 26 giugno scorso, siamo spiacenti di doverVi informare che non possiamo soddisfare tutte le condizioni da Voi proposte.
Non possiamo fare un'eccezione riguardo ai prezzi "franco stabilimento" che applichiamo a tutti i nostri clienti; per venirVi incontro possiamo offrirVi uno sconto del 10% sul listino, il che coprirebbe buona parte delle spese di trasporto.
Circa i termini di consegna, data la notevole quantità di merce da Voi ordinata, le nostre scorte di magazzino non sono sufficienti ed è pertanto necessario programmarne la produzione. Tutto ciò comporta una disponibilità per la merce a circa 8 giorni dopo il ricevimento dell'ordine.
La spedizione potrà avvenire tramite la " Trans Italy Express", ma le spese di spedizione dovranno restare a carico Vostro.
In attesa di una risposta, vogliate gradire

cordiali saluti.
Maglificio Corallo s.r.l.

C

Egregi Signori,

facendo seguito alla Vostra lettera del 30 novembre scorso, Vi comunichiamo che la Direzione Vendite ha deciso di accettare la dilazione dei termini di consegna a dopo le vacanze natalizie, in quanto pensiamo di distribuire i prodotti ai nostri rivenditori entro il periodo primaverile.
Accettiamo anche le condizioni di pagamento, ma dato il ritardo della consegna, proponiamo un pagamento con tratta a 40 giorni anziché a 20. La spedizione aerea della merce è senz'altro benvenuta.

Distinti saluti.
Rossi s.r.l.

1. Le condizioni richieste dal cliente non vengono accettate completamente   C
2. Il cliente ha accettato il ritardo della consegna A B 
3. Le condizioni offerte dalla ditta venditrice potrebbero avere come effetto una perdita di clientela  C
4. Viene suggerita un'altra modalità di trasporto per la consegna della merce  C
5. Per accontentare il cliente il fornitore abbassa leggermente il prezzo della merce A B C
6. Il cliente vorrebbe addebitare le spese di spedizione al fornitore A B C
7. Le quantità dell'ordine non sono disponibili in magazzino A B C
8. L'acquirente non pensa al mercato del periodo natalizio A B C
9. Per la produzione è necessaria una settimana di tempo A B C
10. Il cliente propone tempi più lunghi per il saldo A B C

A.3 

Leggere attentamente il testo e svolgere i compiti indicati di seguito.

1. La Cina rappresenta oggi un mercato in continua evoluzione anche per l'export dei prodotti italiani. Il sistema economico cinese è infatti in via di trasformazione e crescono le opportunità di investimento in molti settori.

2. Le grandi città come Shangai o Pechino stanno diventando delle megalopoli di stile occidentale. Nascono ogni giorno nuovi centri commerciali e la domanda dei consumatori si allarga ai prodotti non di primaria necessità. In Cina si sta infatti assistendo al fenomeno della nascita di una nuova classe sociale benestante con soldi da spendere e alla ricerca di beni di lusso.

3. *The Italian way of living*, lo stile di vita italiano, è diventato ormai tendenza. I prodotti della nostra tradizione gastronomica trovano posto sulle tavole cinesi e i giovani si danno appuntamento nei nuovi *wine bars* per degustare un buon bicchiere di Chianti o di Barolo. Anche le grandi firme italiane dell'abbigliamento e dell'industria calzaturiera hanno aperto punti vendita nei grandi centri e questo fenomeno è in continua espansione.

4. Per facilitare la penetrazione nel mercato cinese da parte delle aziende italiane, tante sono oggi le iniziative organizzate dalle istituzioni e dalle associazioni di categoria: incontri con imprenditori locali, servizi di consulenza in loco, assistenza per la partecipazione a fiere e manifestazioni. Solo per fare un esempio, l'ultima edizione di "Luxury China", la fiera internazionale di oreficeria, gioielleria ed orologeria che si tiene a Shangai ogni anno, ha registrato una grande presenza di espositori italiani.

Compito n.1

- **Scegliere dalla lista A-F il titolo più adatto per ciascuno dei quattro paragrafi in cui è diviso il testo.**
- **Trascrivere la lettera corrispondente nell'apposito spazio.**

Paragrafo n.1. ....
Paragrafo n.2. ....
Paragrafo n.3. ....
Paragrafo n.4. ....

A. Una trasformazione urbana e sociale
B. Modalità di accesso al mercato cinese
C. L'esportazione dei vini italiani
D. La moda del Made in Italy
E. I gioielli in Cina
F. Una buona occasione per le imprese italiane

Compito n.2

Scegliere dalla lista G-O la parola più adatta a completare le frasi.
Trascrivere la lettera corrispondente nell'apposito spazio.

1. La manifestazione avrà .... nei locali del Centro delle Esposizioni.
2. Lo .... espositivo per ogni stand è di 25 mq.
3. Al .... del tradizionale buffet di benvenuto quest'anno ci sarà una sorpresa per tutti gli invitati.
4. Il .... informativo si trova nel padiglione al centro della fiera.

G. punto
H. spazio
I. campo
L. luogo
M. spiazzo
N. sito
O. posto

Ascolto

B.1/a

- Ascolterete un'impiegata di un'azienda che deve predisporre una serie di documenti (elencati nella lista A-H).
- Scegliere il documento relativo ad ogni affermazione e trascrivere la lettera corrispondente nell'apposito spazio.
- Ascolterete i testi due volte.

Esempio .... B ....

1. Affermazione n.1 ....
2. Affermazione n.2 ....
3. Affermazione n.3 ....
4. Affermazione n.4 ....
5. Affermazione n.5 ....

A. lettera
B. fattura
C. e-mail
D. dichiarazione
E. modulo
F verbale
G. contratto
H. messaggio

B.1/b

- Ascolterete la titolare di un'agenzia di pubbliche relazioni che deve svolgere una serie di attività per alcuni clienti.
- Scegliere l'attività (tra quelle elencate nella lista A – H) relativa ad ogni affermazione e trascrivere la lettera corrispondente nell'apposito spazio.
- Ascolterete i testi due volte.

Esempio .... F ....

1. Affermazione n.1 ....
2. Affermazione n.2 ....
3. Affermazione n.3 ....
4. Affermazione n.4 ....
5. Affermazione n.5 ....

A. organizzare un congresso
B. organizzare una festa
C. allestire uno stand di una fiera
D. organizzare un viaggio
E. distribuire inviti
F. realizzare il logo di un'azienda
G. organizzare una sfilata di moda
H. organizzare un concerto

B.2

- Ascolterete una telefonata.
- Riempire gli appositi spazi con le informazioni opportune.
- Ascolterete la telefonata due volte.

1° commissione
Telefonare a Paolo e riferirgli:
l'appuntamento con la ditta Giorgini .... *(1)*
l'appuntamento con la ditta Salvaretti .... *(2)*

2° commissione
Telefonare all'Ing. Garini / tel. N. .... *(3)*
e riferirgli:
conferma acquisto .... *(4)*
conferma acquisto .... *(5)*

Fissare appuntamento con il Direttore per .... *(6)*

3° commissione
fare tre copie del .... *(7)*
consegnare le tre copie a:
.... *(8)*
.... *(9)*
.... *(10)*
entro .... *(11)*

4° commissione
Andare dall'Avvocato e portare dossier documenti.
Il dossier si trova .... *(12)*
I documenti sono contenuti .... *(13)*

Indirizzo Avvocato .... *(14)*

Portare i documenti entro .... *(15)*

B.3

- Ascolterete un'intervista.
- Indicare con X la lettera A, B, o C corrispondente all'affermazione corretta fra le tre proposte.
- Ascolterete l'intervista due volte.

1. I creatori di moda meno conosciuti

☐ A si ispirano agli stilisti più famosi
☐ B lavorano per quelli più noti
☐ C concorrono a definire lo stile italiano

2. Per la signora Salomone è importante

☐ A produrre da sé le sue creazioni
☐ B ispirarsi alle scuole d'alta moda
☐ C separare la teoria dalla pratica

3. Il viaggio è stato utile soprattutto per conoscere

☐ A stili diversi, antichi e moderni
☐ B materiali rari in Italia
☐ C luoghi belli e interessanti

4. L'agenzia di Pubbliche Relazioni serve alle due stiliste per

☐ A spedire fax
☐ B farsi conoscere
☐ C distribuire il catalogo

5. I capi realizzati dalle due stiliste sono

☐ A originali e fatti a mano
☐ B adatti a occasioni importanti
☐ C per donne di ogni età

Grammatica e lessico

C.1

Scegliere la parola opportuna, tra le quattro proposte, per completare le seguenti frasi.
Trascrivere la lettera corrispondente alla parola scelta nell'apposito spazio.

1. Vi prego di comunicarmi le modalità per l' .... al Vostro corso sui sistemi di organizzazione e gestione del personale.
   ☐ A iscrizione ☐ B entrata ☐ C inserimento ☐ D annotazione

2. A seguito della Sua richiesta di assunzione, abbiamo il piacere .... convocarLa presso la nostra sede per un colloquio mercoledì 29 ottobre.
   ☐ A per ☐ B nel ☐ C di ☐ D a

3. Siamo spiacenti ma abbiamo dovuto .... i prezzi perché il costo delle materie prime è quasi raddoppiato.
   ☐ A salire ☐ B montare ☐ C crescere ☐ D rialzare

4. La ringrazio vivamente di averci inviato subito le informazioni richieste e .... allego l'ordine di cui avevamo parlato per telefono.
   ☐ A Ci ☐ B Le ☐ C Vi ☐ D La

5. Vi informiamo che abbiamo un nuovo servizio di assistenza, ... 24 ore su 24, al Numero Verde 888000.
   ☐ A fattivo ☐ B attivo ☐ C efficiente ☐ D effettivo

6. Per cortesia, chieda alla signora De Sanctis se può provvedere alla .... delle inserzioni pubblicitarie sulle riviste di settore.
   ☐ A pubblicazione ☐ B propaganda ☐ C propagazione ☐ D proclamazione

7. I termini di ricevimento della merce saranno di 15 giorni a partire dalla .... dell'ordine da parte Vostra.
   ☐ A conferma ☐ B sicurezza ☐ C garanzia ☐ D certezza

8. Il servizio offre informazioni commerciali aggiornate .... imprese italiane iscritte alle Camere di Commercio.
   ☐ A con le ☐ B delle ☐ C tra le ☐ D sulle

9. In vista della partecipazione alla Fiera con un nostro stand, Vi chiediamo di .... al più presto l'elenco degli alberghi convenzionati.
   ☐ A inviarne ☐ B inviarci ☐ C inviarmi ☐ D inviarlo

10. Potete controllare facilmente e in ogni momento lo stato di .... dell'ordine; basta cliccare sull'icona del magazzino.
    ☐ A avanzamento ☐ B proseguimento ☐ C cammino ☐ D processo

11. Siamo lieti di informarVi che la nostra .... di accessori per abbigliamento sarà presentata nella prossima edizione di Firenze Moda.

☐ A colletta ☐ B collezione ☐ C raccolta ☐ D collana

12. Quando l'assegno circolare reca la clausola "non trasferibile", il beneficiario non può girarlo ad un'altra persona ma deve incassarlo ....

☐ A privatamente ☐ B propriamente ☐ C particolarmente ☐ D personalmente

C.2

Completare i testi. Inserire la parola mancante negli spazi numerati. Usare una sola parola.

PRIMO TESTO

La nostra società opera al servizio di aziende leader a 1) .... internazionale.
Il nostro obiettivo è 2) .... di aumentare la penetrazione dei prodotti dei nostri clienti 3) .... mercato italiano.
Offriamo servizi di 4) .... relazioni e organizziamo eventi.
Collaboriamo con i principali gruppi editoriali italiani; inviamo comunicati stampa alle riviste di settore; organizziamo 5) .... stampa e interviste.
Organizziamo eventi: questo servizio è di 6) .... importanza per dare visibilità ai prodotti rappresentati. Per questo promuoviamo manifestazioni, convegni, seminari e partecipiamo alle più importanti Fiere 7) .... settore.

SECONDO TESTO

L'ABI (Associazione Banche Italiane) ha deciso di fornire ai clienti delle banche la possibilità di avere facilmente informazioni chiare e trasparenti. L'iniziativa, che ha il marchio certificato "Patti chiari", è rivolta a tutti i titolari di 8) .... correnti bancari, dai privati cittadini agli enti e alle aziende, e vuole 9) .... a tutte le esigenze, 10) .... più semplici e quotidiane alle più complesse.
Tra il 15 ottobre 2003 e il 15 marzo 2004 saranno attuati gli 8 progetti che avranno in 11) .... l'obiettivo di garantire chiarezza, trasparenza e comprensibilità alle comunicazioni tra banca e cliente.
Sarà possibile avere, in un linguaggio accessibile a tutti, le notizie di 12) .... si ha bisogno: individuare per 13) .... di una semplice telefonata o navigando in Internet il più vicino sportello Bancomat funzionante, conoscere i costi dei servizi offerti dal proprio 14) ....di credito, avere indicazioni precise sul rendimento delle obbligazioni oppure sulle modalità 15) .... la concessione di un prestito. Le imprese potranno anche conoscere il tempo medio di risposta delle varie banche sul credito chiesto. Potranno quindi confrontare servizi e prezzi e scegliere l'offerta 16) .... conveniente.
Tutto questo sarà un incentivo alla concorrenza 17) .... le banche, a vantaggio della clientela.

Produzione Scritta

D.1 Svolgere il seguente compito

Lei è il direttore vendite della ditta "Elettrostar Spa".

Risponda alla seguente lettera inviata alla Sua ditta dal cliente "Il Mercato dell'Elettronica".

Il Mercato dell'Elettronica
Via del Commercio, 8
20100 MILANO

Milano, 15.05.03
Spett.le
ELETTROSTAR SPA
Via dei Mulini, 19
00100 ROMA

Oggetto: Sollecito per la consegna delle merce.

Gentili Signori,

in data 21.04.03 abbiamo ordinato presso la Vostra ditta i seguenti prodotti:

n. 12 lavatrici modello 1200 "LUX"
n. 8 frigoriferi modello 2000 "FROST"

pregando di provvedere ad una sollecita consegna.

Siamo spiacenti di informarVi che a tutt'oggi non abbiamo ancora ricevuto la merce.

Vi preghiamo pertanto di provvedere immediatamente alla spedizione della merce ordinata che dovrà pervenire presso i nostri magazzini entro e non oltre la fine del corrente mese.

Non ricevendo i prodotti richiesti entro tale ultima data, il nostro ordine è da considerarsi annullato.

In attesa di un Vostro cortese riscontro, Vi porgiamo distinti saluti.

Il Mercato dell'Elettronica
Il Direttore Acquisti

Nella risposta dovrà:
- dare una valida giustificazione per l'avvenuto ritardo nella consegna della merce;
- assicurare al cliente che la consegna avverrà nei termini richiesti;
- offrire uno sconto o un'agevolazione nei pagamenti per l'inconveniente arrecato alla società cliente.

(da un minimo di 90 a un massimo di 110 parole)

Prova di Produzione Orale

A) COMPITO COMUNICATIVO

Un Suo amico italiano vorrebbe trasferirsi e lavorare nel Suo Paese. Per questo motivo Le chiede una serie di informazioni (zone del Suo Paese dove è più facile trovare lavoro, costo della vita nel Suo Paese, etc.) Lei gli dà le informazioni richieste ma, allo stesso tempo, cerca di convincerlo a non lasciare l'Italia.

B) MONOLOGO

Lei lavora da un anno in una grande azienda multinazionale. Si trova bene nel nuovo ambiente, ma è anche molto stanco/a per il troppo lavoro. Durante una vacanza estiva, incontra degli amici italiani che Le chiedono di raccontare loro la Sua nuova esperienza lavorativa.

Trascrizione testi orali

Unità 1 - Lavorare in un'azienda

1. F) Ascoltare e comprendere

1. Oggi mi sono ricordata all'ultimo momento di avvisare il Direttore che il Dott. Rossi ha confermato l'appuntamento di domani. Per fortuna! Immagina ...se mi dimenticavo di dirlo... era una catastrofe!

2. Durante il Consiglio di Amministrazione mi hanno chiamata per annotare tutti gli interventi sui vari punti dell'ordine del giorno. Che lavoraccio!

3. La riunione è fissata per giovedì prossimo alle 18.00. Oggi ho inviato a tutti i partecipanti l'avviso con l'ordine del giorno.

4. Avevo richiesto alla Ditta Electrolux di mandarci 8 pezzi dell'articolo AB117. Guardando poi le scorte di magazzino mi sono resa conto che ne avevamo fin troppi in giacenza. Allora gli ho rimandato il fax chiedendogli di spedirci 8 pezzi dell'articolo AB261.

5. Sempre la stessa storia! E' la terza volta che la ditta Biffi ci manda forniture non conformi all'ordine. Comunque questa volta mi hanno sentita!

1. H) Ascoltare e comprendere

Signora, buongiorno.

Buongiorno Direttore, mi dica, prego.

La prossima settimana dovrò andare in Germania a trovare un paio di clienti. Avrei bisogno del Suo aiuto per organizzare il viaggio.

Mi dica pure. Quando ha intenzione di partire?

Mercoledì prossimo in mattinata. Dopo le 11.00, perché alle 9.00 ho una riunione importante qui in azienda e non potrò mancare.

E il ritorno?

Diciamo venerdì pomeriggio, se possibile.

Per quale destinazione Le prenoto il volo?

Guardi, devo andare a Monaco e a Francoforte. Facciamo così, mi prenoti un volo andata e ritorno Roma – Monaco e poi andrò a Francoforte in macchina.

Avrà bisogno di un'auto a noleggio.

Certo, mi prenoti un'auto direttamente all'aeroporto di Monaco.

E per il pernottamento?

Allora... mercoledì notte sarò a Monaco e giovedì notte a Francoforte.

Ha già preso appuntamento con i nostri clienti?

Non ancora. Mandi per favore un fax al Sig. Schmidt e gli comunichi il mio arrivo per mercoledì pomeriggio verso le 16.00. Al Sig. Mueller scriva invece che sarò da lui giovedì mattina verso le 11.00.

Va bene. Ora chiamo l'agenzia e poi Le faccio sapere l'orario preciso dei voli e gli indirizzi degli alberghi. Ha bisogno d'altro?

Sì, per favore. Se avrò tempo venerdì mattina vorrei visitare la fiera di Francoforte. Si informi per cortesia sugli orari.

Sarà fatto.

Grazie.

Le farò sapere. Arrivederci.

1. L) Ascoltare e comprendere

Quando sono uscita dalla scuola era un periodo nero per trovare lavoro. Ho fatto la baby-sitter per due anni, poi ho fatto dei concorsi in banca. Ero veramente poco convinta, perché ho passato parecchi scritti ma non sono mai riuscita a sostenere un orale(...).
Nel frattempo la mia famiglia cominciava a preoccuparsi; fu così che fui praticamente comandata nell'azienda di mio zio. Sono diventata responsabile amministrativa lavorando per quasi vent'anni nella stessa azienda, che è poi quella del mio primo impiego. Quando ho iniziato a lavorare c'era un'altra persona che era responsabile. Poi per motivi personali se n'è andata e io, dopo poco più di un anno che avevo cominciato a lavorare, mi sono trovata in mano l'intera contabilità. Ma non mi sono spaventata perché era la contabilità di un'azienda molto piccola. Ed era anche una cosa sicuramente all'altezza delle mie capacità. Non ho avuto particolari problemi e potevo usufruire della consulenza del commercialista, per qualsiasi cosa. Quindi a vent'anni tenevo l'amministrazione. Anche se in una piccola azienda - allora c'erano solo 4 dipendenti - nessuno ti dice che tu sei la responsabile dell'amministrazione. Io tenevo tutto in mano e facevo di tutto, compreso il bilancio, che poi veniva supervisionato dal commercialista. L'azienda era molto limitata sia come fatturato sia come personale; anche la parte fiscale era semplice e c'erano molte meno complicazioni di adesso. Adesso faccio un part-time e svolgo la supervisione di tutta la contabilità (fatture, pagamenti, incassi, ecc.). Il mio orario è dalle 10.00 alle 15.00, salvo che poi ti viene chiesta una certa disponibilità e difficilmente esco dall'ufficio prima delle tre e mezza. D'altra parte io faccio orario continuato, ma se mi viene fame, vado a mangiare. Quindi l'elasticità è da tutte e due le parti. (...)

(tratto dal sito www.ticonuno.it)

Unità 2 - Rapporti esterni all'azienda

2. A) Ascoltare e comprendere

Allora Signor Rossi, veniamo al momento più delicato. Mi dica quali sono le condizioni di pagamento.

(risatina) Sì... cercherò di venirVi incontro nel migliore dei modi. Allora il saldo della merce ammonta in totale a 70.000 euro...

Sì, ma... non è possibile ancora un piccolo sconto?

Facciamo così. La consegna avverrà in 2 tranches. Giusto?

Sì.

Allora, il primo carico prevede merce per 30.000 euro... Su questi 30.000 euro possiamo applicare ancora uno sconto del 2%. Per la seconda consegna il prezzo rimane invariato, quindi 40.000 euro.

Hmmm... va bene. E per i tempi di pagamento?

Se è possibile, il saldo alla consegna.

Nooo... mi spiace. Per la mia azienda è impossibile sostenere un onere simile. Ci dovete accordare una buona dilazione... altrimenti...niente da fare!

Allora. Per quanto riguarda il primo carico la consegna è prevista per il 15 settembre prossimo. Facciamo così. Subito un acconto di 10.000 euro e il saldo al 31 ottobre.

Può andar bene.

Per il secondo carico abbiamo parlato del 15 novembre per la consegna?

Sì, il 15 novembre.

Allora. Si potrebbe fare una rata di 10.000 euro alla consegna e poi due rate di 15.000 euro. E queste due rate....

Per noi andrebbe bene pagarle a 60 e 90 giorni dalla consegna.

60 e 90? Hmmm... va bene. Solo perché è il nostro primo rapporto d'affari voglio venirVi incontro.

Va bene, accettate assegni bancari o preferite i circolari?

Circolari andrebbero meglio. Con gli assegni bancari abbiamo avuto qualche brutta esperienza in passato.

Va bene, per noi non c'è nessun problema. Finiamo di scrivere il contratto, adesso.

2. D) Ascoltare e comprendere

Buongiorno, sono Anna Rossi dell'ufficio amministrazione della ditta CA.RO. Nella Vostra ultima fattura leggo che ci richiedete un pagamento tramite rimessa diretta.
Come mai? Io avevo concordato con il Vostro responsabile un pagamento a 60 giorni.
Immagino, anzi spero..., che si tratti di un errore nell'emissione della fattura.

Buongiorno, sono Giuseppe Bianchi della società "Servizi innovativi". Qualche giorno fa abbiamo acquistato presso di Voi 1 fotocopiatrice. Allora... nell'ordine eravamo stati ben chiari. La nostra società ha due sedi. La fotocopiatrice doveva andare alla nostra sede operativa, dove ci sono i nostri uffici, invece è stata consegnata presso la sede amministrativa. Per favore, provvedete in qualche modo a rimediare al Vostro errore.

Buongiorno, sono Giusti dell'impresa Alumix. Finalmente oggi ci è arrivato il computer. Era da 20 giorni che lo aspettavamo! Comunque c'è qualcosa che non va nella Vostra fattura. La nostra ragione sociale esatta è Alumix Srl e non Alumix Spa come avete scritto Voi. Per favore correggete la Vostra copia del documento.

Buongiorno, qui è la ditta Rossi Srl. Un mese fa abbiamo ordinato una stampante laser e a tutt'oggi non abbiamo visto ancora nulla. La settimana scorsa il Vostro responsabile alle vendite si è scusato dicendo che era stato fatto un errore nell'inoltrare il nostro ordine al magazzino. Ma adesso mi sembra che abbiamo superato ogni limite!

Buongiorno, qui è la ditta Serti. Allora... il nostro ordine parlava di 5 telefoni modello "Comunico", quelli che nel Vostro listino vengono 35 euro l'uno. Ci avete mandato invece dei modelli da 57 euro. Non vanno bene, ci dispiace. Come facciamo per ridarVi indietro la merce?

2. L) Ascoltare e comprendere

Signor Bianchi, Lei di che cosa si occupa?
Sono il titolare di una piccola ditta di vendita di computer e di servizi informatici. Beh.. vendita ... diciamo che oggi vendiamo pochissimo materiale hardware e ci occupiamo a 360 gradi di assistenza.

Come mai?
Il mercato dell'informatica è profondamente cambiato in questi ultimi 4-5 anni. Oggi un computer si compra tranquillamente al supermercato a prezzi stracciati, come un qualsiasi elettrodomestico. Ma certo i supermercati non hanno poi la capacità di offrire assistenza e tutti i servizi post-vendita necessari. E allora i clienti si rivolgono a ditte specializzate come la nostra.

Che tipo di assistenza tecnica richiede la Sua clientela?
Ci sono i normali interventi di routine, tipo l'installazione di programmi e la riparazione dell'hardware e poi ci sono sempre richieste di interventi urgenti quando il cliente ha paura che il suo computer sia stato contaminato da un virus.
Diciamo che la paura dei virus informatici è anche esagerata. Per ogni piccolo problema che si presenta, il cliente dà subito la colpa al virus. Pensi che proprio ieri un cliente ci ha chiamato disperato perché era convinto che un virus avesse fatto saltare il monitor. Siamo andati a controllare e abbiamo visto che invece c'era un cavetto staccato!

Altri problemi per la Sua clientela?
Beh... un problema crescente e molto delicato è quello della riservatezza in Internet. Purtroppo navigando in Internet può capitare involontariamente di entrare in siti che si impossessano dei dati dell'utente, anche del semplice indirizzo di posta elettronica. Questi siti scaricano poi automaticamente nel computer dell'utente materiale non richiesto... diciamo che si tratta quasi sempre di materiale pornografico.

Noi allora interveniamo per eliminare questi collegamenti poco graditi che si sono creati.

Bisogna stare attenti quindi quando si naviga in rete.
Molto attenti. Attenti quando si danno informazioni e dati personali prima di tutto e attenti anche quando il sito porta l'utente in aree di servizi a pagamento. A volte basta un click e, senza saperlo, vi potete trovare a navigare in Internet pagando una tariffa telefonica intercontinentale invece di una semplice tariffa urbana.

Unità 3 - Sulla scrivania

3. B) Ascoltare e comprendere

Buongiorno

Buongiorno, prego mi dica.

Vorrei attivare una carta di credito.

Personale o per l'azienda?

No... no, per uso personale. Lei che cosa mi consiglia?

Guardi, la nostra banca mette a disposizione dei clienti una nuova carta di credito. Si chiama "Carta Valore". E' molto comoda e offre molti vantaggi.

Ad esempio?

Un vantaggio è quello di non dover rimborsare a fine mese tutto quello che ha speso.

Davvero? Ma come...

Guardi... è possibile rimborsare il denaro utilizzato in comode rate e sarà proprio Lei a decidere l'ammontare delle rate mensili. Ma c'è di più. La Carta Valore comprende anche una copertura assicurativa. Se per caso Lei non può far fronte al pagamento delle rate per qualche mese... due o tre... ecco che interviene l'assicurazione. Lei poi potrà rimborsare l'assicurazione con tutta calma.

Beh.. mi sembra un buon vantaggio. Ma dove posso fare acquisti con questa carta?

La carta è riconosciuta nei negozi di tutta Italia che espongono il marchio "Carta Valore". In più la può utilizzare per fare il pieno di carburante, per pagare pedaggi autostradali, acquistare biglietti del treno... Ora ci stiamo attivando anche per effettuare acquisti on-line, in Internet. Penso che questo servizio sarà disponibile a partire dal mese prossimo.

E se ho bisogno di contanti? Funziona anche da bancomat?

Sì. Insieme alla carta Le sarà dato un codice segreto, un codice PIN, e con quello Lei potrà prelevare denaro contante in qualsiasi sportello bancomat in Italia.

Una cosa che mi preoccupa però... e se me la rubano?

Non c'è problema. Lei chiama subito il nostro numero verde e la carta è immediatamente bloccata. Subito dopo ci manda una conferma scritta via raccomandata allegando una copia della denuncia fatta alle autorità competenti.

Va bene... mi ha convinto.

Le do i moduli da compilare per la richiesta della carta che poi Le arriverà a casa tra dieci – quindici giorni.

3. G) Ascoltare e comprendere

Assicurazioni "Premio Italia", buongiorno.
Buongiorno, sono Giorgia Manti dell'impresa "Sole di Toscana". La chiamo perché vorrei un preventivo per una polizza assicurativa.
Di che cosa si tratta, Signora?
Vorremmo assicurare il trasporto del nostro prodotto. Siamo produttori di olio d'oliva.
E come avviene il trasporto? Voglio dire in che tipo di contenitori trasportate il prodotto?
In bottiglie di vetro. Le bottiglie vengono poi imballate in scatoloni di cartone. Ogni scatolone contiene 24 bottiglie.
Qual è il Vostro mercato di riferimento? Vendete solo in Italia o esportate anche all'estero?
Solo in Italia.
Su che mezzi viaggia la merce?
E' tutto trasporto su strada.
Utilizzate mai il trasporto su ferrovia?
No, solo camion.
Che rischi dovrà coprire l'assicurazione?
Solo il danneggiamento delle merci.
Non vorrebbe estendere la copertura anche al furto delle merci?
No.. il furto delle merci è già coperto dall'assicurazione dei camion. Sa... i mezzi sono di nostra proprietà.
Va bene. Un'ultima cosa... dove e quando dovrà avere inizio e termine la copertura assicurativa?
Allora... inizio presso i nostri magazzini al momento del carico e termine con la consegna del prodotto nei magazzini dei nostri clienti.
Grazie Signora. Mi sembra di avere tutti gli elementi utili per poterLe fare avere un preventivo per la polizza assicurativa. Mi lasci cortesemente il Suo numero di fax e glielo manderò in giornata.
Sì, il fax è 050/984672.
A presto, grazie.
Grazie a Lei e buongiorno.

3. N) Ascoltare e comprendere

Signor Belli, qui in segreteria abbiamo ancora le stampanti a getto d'inchiostro. Lei sa che stampiamo più di 200 pagine al giorno e con una stampante laser risparmieremmo invece molto tempo. Sarebbe possibile sostituirle tutte? Magari è possibile fare una permuta presso il fornitore. Diamo indietro le stampanti a getto e acquistiamo le laser.

Signor Belli, il fax ha ancora problemi. Non riesce a caricare bene la carta. A volte prende due fogli, a volte nessuno. Se Lei è d'accordo bisognerebbe fare la richiesta al fornitore per far venire il tecnico.

Le volevo comunicare che stiamo per esaurire la carta per la stampante. La settimana prossima dovremo stampare i nuovi listini e avremo bisogno almeno di 10.000 fogli. La pregherei di procedere subito all'acquisto.

Signor Belli, qui la nuova fotocopiatrice è un disastro. La carta si inceppa ogni due copie. Il tecnico è venuto ieri a ripararla, ma niente.
Visto che è ancora in garanzia, io Le chiederei di chiamare il fornitore per una sostituzione.

Signor Belli, anche oggi non funziona il collegamento a Internet. Sono stanca di questa situazione. Secondo me è necessario interrompere il contratto con l'attuale fornitore dei servizi Internet e trovarne subito un altro.

Unità 4 - La promozione dei prodotti

4. B) Ascoltare e comprendere

"Organizzazione Fiere", buongiorno.

Buongiorno, sono Marco Rossi, direttore vendite del mobilificio Euromobel.

Prego, mi dica.

Vorrei sapere le date della prossima fiera del mobile.

Guardi, le date sono dal 30 settembre al 5 ottobre.

Noi vorremmo partecipare alla fiera ed esporre i nostri mobili. Entro quando dobbiamo prenotare lo spazio espositivo?

La prenotazione deve arrivare entro il 31 maggio... sa per motivi organizzativi abbiamo bisogno di sapere con largo anticipo quante aziende parteciperanno alla fiera.

Avete delle misure standard per la superficie degli stand o posso richiedere delle misure particolari?

Le misure sono standard. Abbiamo 3 opzioni: stand da 15 metri quadri, da 30 e da 60.

Quanto costa lo spazio espositivo?

Sono 200 euro al metro quadro.

Al giorno.... o per tutta la durata della fiera?

No... non al giorno... ci mancherebbe... i prezzi si intendono per tutta la durata della fiera!

Ah... allora va bene. E senta, la Vostra organizzazione quali servizi offre?

Guardi, abbiamo a disposizione il servizio di hostess con due opzioni. Abbiamo sia hostess che parlano solo in italiano che hostess interpreti.

E quanto costano questi servizi?

I prezzi sono di 200 euro al giorno per la prima opzione e 350 euro al giorno per la seconda opzione

Senta, vorrei sapere poi se nella zona della fiera ci sono alberghi convenzionati con le ditte espositrici.

Sì, ce ne sono due. L'Hotel Continental, qui vicino, che offre camere singole a partire da 70 euro e l'Hotel Europa che, sempre per una singola, fa prezzi a partire da 80 euro.

Va bene, ne parlo al titolare e poi Le mando la prenotazione.

Le raccomando di affrettarsi perché abbiamo già moltissime richieste.

La richiamerò al più tardi lunedì prossimo. Arrivederci.

Va bene. Aspetto la Sua chiamata. Arrivederci.

4. F) Ascoltare e comprendere

L'industria della moda, si sa, è uno dei più importanti settori del Made in Italy e molte iniziative nazionali e internazionali ne valorizzano l'immagine. Si è appena conclusa l'edizione autunnale di "Milano Moda Donna", la manifestazione che dal 27 settembre al 5 ottobre ha presentato le collezioni "prèt a porter" primavera-estate 2004.
Sentiamo quali sono le impressioni di un'"addetta ai lavori", la Signora Margherita Baldissoni, direttrice di una catena di negozi di abbigliamento, presenti in molte città del Nord Italia.

-Stanca di questa maratona della moda?
-Eh,sì...sono state giornate molto impegnative, perché, come Lei sa, le sfilate e le presentazioni erano moltissime: se non sbaglio, 200 defilés e più di 100 presentazioni. C'era una folla di compratori e poi moltissimi giornalisti italiani e stranieri, modelle, fotografi, stilisti: un ambiente fatto di mondanità, senso artistico e...tanto senso degli affari...Fortunatamente avevo le idee chiare su cosa scegliere e così ho potuto organizzarmi al meglio. Ho anche partecipato ad alcune delle tante feste in programma ...per rilassarmi e divertirmi, certo, ma in qualche caso anche per motivi di lavoro, per esempio per conoscere un nuovo *free magazine* dedicato alla moda e alla musica o per vedere le creazioni dei giovani stilisti. Sono state delle belle serate, anche se affollate, perché aperte al grande pubblico... bastava pagare un biglietto d'ingresso.

-Che cosa Le interessa in modo particolare di "Milano Moda Donna"?
-Proprio il suo obiettivo specifico, il fatto che presenta il meglio della moda pronta e quindi un abbigliamento bello ed elegante, ma vendibile. Il livello, ehm...la qualità è sempre ottima... Del resto ci sono le grandi firme della moda italiana... Però c'è anche attenzione al mercato, al prodotto. Ci sono certamente altre manifestazioni importanti dedicate alla moda, per esempio "Alta Roma".
Dell'alta moda mi interessa il senso artistico, l'originalità, la creatività. Ma, a parte il fatto che originalità e creatività si trovano anche nelle creazioni del prèt a porter, non potrei proporre ai miei clienti gli abiti dell'alta moda. La catena di negozi che dirigo ha un preciso target di riferimento.

-Quali idee porta a casa da questa esperienza?
-Per la verità, devo ancora raccogliere le idee ma così,ehm...come prima impressione, mi sembra che ci fosse un clima di ottimismo, che stia tornando la fiducia dopo un periodo molto difficile. Anche il

settore della moda ha risentito degli effetti negativi dei problemi internazionali degli ultimi anni... terrorismo, guerre, crollo delle borse, svalutazione del dollaro. Adesso invece pare che ci sia in vista una ripresa. Ci dovrebbe essere un incremento dei consumi l'anno prossimo, si prevede un aumento del fatturato del 3-3,5% per il 2004...sempre che non ci siano brutte sorprese.

-Auguriamocelo!...Allora La ringrazio molto per la Sua disponibilità e ...arrivederci alla prossima maratona!
-Arrivederci al 2004! Non mancherò!

4. L) Ascoltare e comprendere

1. Scopri le tue doti di grande chef. Bastano due ingredienti: tu e la nostra tecnologia. Con i piani cottura in acciaio inox, i forni ventilati e l'alta resistenza dei nostri materiali ogni tuo piatto sarà un capolavoro.

2. Schermo ultrapiatto e al plasma. In soli 42 pollici rivivi in casa tua la magia del cinema.

3. Biancheria resistente o tessuti delicati. Per ogni tuo capo c'è un programma di lavaggio speciale che ti assicura pulito e rispetto delle fibre.

4. Pulito perfetto e semplicità d'uso. Con il 30% di spazio in più dei nuovi cesti potrai invitare a casa tua quanti amici vorrai... e i piatti sporchi saranno solo un ricordo.

5. Diventa anche tu regista delle tue emozioni e dei tuoi ricordi più belli. Grazie agli obiettivi ultrasensibili e all'alta tecnologia digitale puoi riprendere sequenze con qualsiasi condizione di luminosità.

Unità 5

B.1/a

Esempio: In alto a destra va indicata la ragione sociale del cliente. Poi devo ricordarmi di inserire sempre il numero di partita IVA e il codice del contratto.

1. Come faccio a rispondere al Signor Rossi? Oggi il computer non si connette a Internet!

2. Oggi vado alla riunione con un registratore e poi stasera trascrivo tutto con calma a casa.

3. Questo contratto in originale deve arrivare dall'Avvocato entro domani. Beh, non posso spedirglielo così e basta. Dovrò scrivere due righe di accompagnamento.

4. Mi sono dimenticata di riferire al capo dell'appuntamento di domani e lui è già uscito. Niente paura! Gli lascio un bigliettino sulla scrivania così domattina lo trova subito.

5. Qui non ci sono nemmeno le istruzioni per la compilazione. Richiedono tutta una serie di informazioni sulla nostra società, ma le indicazioni non sono affatto chiare.

B.1/b

Esempio: La ditta si chiama Maglificio Merlini. Io farei una bella scritta "merlini" in blu su fondo giallo con la "emme" iniziale uguale ad un maglione stilizzato.

1. Devo ancora passare all'agenzia a ritirare i biglietti per il volo. E poi dovrò ricordarmi di comunicare all'hotel l'orario di arrivo di tutti gli ospiti.

2. Uno dei relatori ha chiesto di avere a disposizione un videoproiettore collegato al computer. Un altro la lavagna luminosa per proiettare dei lucidi. Dovrò ricordarmi di noleggiare tutta questa attrezzatura.

3. Ho chiamato oggi l'agenzia per le modelle. Mi manderanno una top model americana e poi qualche ragazza italiana. Ho chiesto di vedere le foto prima di dare la conferma.

4. Visto che si tratta di prodotti alimentari tipici italiani, metterei una bella tavola con una tovaglia a quadretti. Sopra i prodotti in cesti di vimini, fiaschi, piatti di terracotta. Sullo sfondo un pannello con qualche panorama della campagna toscana.

5. Alle otto è previsto l'arrivo degli invitati. Ci sarà l'aperitivo a bordo piscina e poi la cena nel salone. Per il dopocena mettiamo una piccola orchestra in giardino e alcune ragazze distribuiranno agli invitati i campioni del prodotto.

B.2

Signorina, buongiorno, sono Giulietti.

Direttore buongiorno, mi dica.

Senta, io oggi sono fuori tutto il giorno. Dovrebbe farmi la cortesia di fare alcune commissioni.

Un attimo che prendo nota....

Allora.... Prima di tutto telefoni a Paolo, il nostro agente e gli riferisca una serie di cose...
Dunque:
l'appuntamento con la ditta Giorgini è saltato, invece l'appuntamento con la ditta Salvaretti è confermato per oggi pomeriggio alle 15.00. All'appuntamento ci sarò anch'io perché questo è un cliente molto importante.
Senta.. poi dovrebbe telefonare all'Ing. Garini, il consulente che si occupa del nuovo sistema informatico.

Eh... sì , ma non penso di avere il numero...

Allora guardi... è il.... un attimo che prendo l'agenda... è il 390/8733992

Ok, ho preso nota.

Gli dica che ho deciso di acquistare solo due programmi di quelli che lui ci ha offerto. Gli dia conferma quindi per il programma per la gestione della contabilità e per quello per la gestione delle buste paga.
E basta.

Va bene.

E gli chieda se può venire da noi mercoledì prossimo diciamo verso le 10 di mattina. Vorrei parlargli.

Va bene.

Poi... ha presente il verbale dell'ultimo Consiglio di Amministrazione?

Certo, l'ho trascritto io personalmente.

Guardi, ne faccia cortesemente 3 copie: una per l'amministrazione, una per il Presidente e una per il nostro commercialista. Le consegni entro oggi, per favore, perché è una cosa molto urgente.

Va bene, le preparo subito.

Un'ultima cosa, questa è una grande cortesia che Le chiedo.

Mi dica, se posso aiutarLa...

Allora... io sono qui nell'ufficio dell'Avvocato Bianchi per firmare il contratto con la ditta Meropack...

Sì, lo so.

Purtroppo, nella fretta mi sono dimenticato di portare un dossier di documenti molto importanti.
Dovrebbe farmi la cortesia di venire qui nello studio dell'Avvocato e portarmeli.

Va bene, ma dove trovo il dossier?

Ha presente la mia scrivania? E' nel primo cassetto a destra.

Potrebbe essere più preciso? Non vorrei portare un dossier sbagliato.

Non si può sbagliare. I documenti sono contenuti in una cartellina verde. C'è solo quella nel cassetto.

Un'ultima cosa. Non so dov'è lo studio dell'Avvocato.

E' in Piazza Dante al numero 18

Ma devo venire subito?

Entro le 10 e 30, se è possibile.

Allora mi sbrigo. Faccio le due telefonate e poi parto .

Grazie mille.

A dopo.

B.3

La moda italiana non è fatta solo di grandi firme ma anche di tante piccole imprese che partecipano alla creazione dell'inconfondibile "Made in Italy". Abbiamo intervistato una giovane stilista, Floriana Salomone, che insieme con Federica Belli ha fondato una società produttrice di accessori e capi d'abbigliamento.

Siete soddisfatte del vostro lavoro?
Direi molto di più...ne siamo entusiaste, perché realizziamo le nostre idee, confezioniamo personalmente accessori e capi d'abbigliamento. Sa..noi preferiamo un'attività che metta immediatamente in pratica le nostre ricerche. Anche la nostra formazione, in una scuola d'alta moda di Firenze, prevedeva molte attività pratiche e vicine al mondo del lavoro, e quindi era particolarmente adatta ai nostri interessi.

Avete fondato la società dopo esservi diplomate?
- No, non subito...dopo aver terminato la nostra preparazione abbiamo sentito la necessità ...ehm...di..allargare i nostri orizzonti... la nostra conoscenza del mondo... per avere un patrimonio di idee più vasto a disposizione. Però... non volevamo una conoscenza solo teorica, astratta. Così nel '99 abbiamo deciso di fare un viaggio intorno al mondo, che è durato ben undici mesi. Durante il viaggio ci siamo confrontate con tanti luoghi e culture, con i materiali più diversi, abbiamo conosciuto le lavorazioni etniche ma anche la realtà, i gusti di oggi in paesi molto distanti culturalmente: l'India, l'Australia, gli Stati Uniti...
Al ritorno eravamo molto cresciute, piene di idee e di entusiasmo. Eravamo pronte a iniziare la nostra attività e abbiamo costituito la società.

Come vi siete fatte pubblicità?
Ci siamo fatte conoscere dal pubblico con l'aiuto di un'agenzia di Pubbliche Relazioni di Milano, ma anche con una ricerca fatta personalmente, per mezzo di fax, lettere di presentazione, invii di curricula. Abbiamo preparato un catalogo con le foto, che presentiamo alla potenziale clientela.

Chi cura i rapporti con i clienti?
Inizialmente se ne occupa uno show room, che filtra la possibile clientela, poi interveniamo direttamente noi e prendiamo contatto con i clienti.

Qual è la vostra clientela?
Ci rivolgiamo a negozi multimarca internazionali con un target medio-alto. La cliente tipo che può apprezzare le nostre creazioni è una donna giovane, che cerca qualcosa di unico e personale, sia per il giorno che per la sera.

E cosa proponete a questa donna?
... complementi di abbigliamento e ornamenti per il corpo...anche qualche capo di abbigliamento ma non molti. I materiali più usati per gli accessori sono la gomma, il cuoio e le tele. Per gli ornamenti usiamo legno, perline, metallo... L'abbigliamento è realizzato per lo più in maglieria e jersey. Il nostro obiettivo è quello di produrre capi unici, artigianali. Finora ci siamo riuscite.

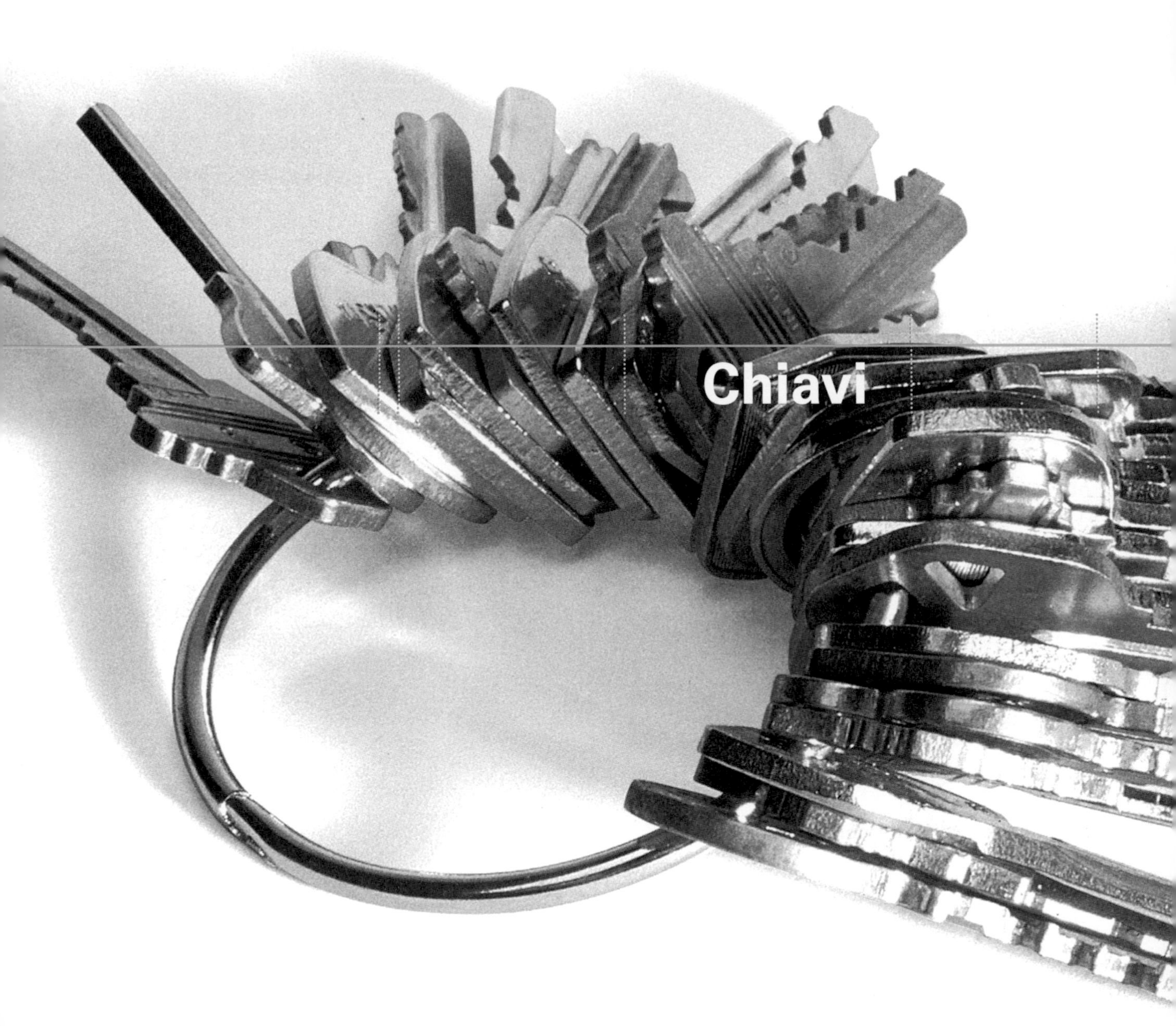

Chiavi

UNITA' 1
LAVORARE IN UN'AZIENDA

1.A) Leggere e comprendere
PRIMO ANNUNCIO: B
SECONDO ANNUNCIO: A

1. D) Leggere e comprendere
1/B 2/B 3/A 4/A 5/B 6/C 7/A 8/C 9/B

1. E) Leggere e comprendere
PRIMO TESTO: B
SECONDO TESTO: C

1. F) Ascoltare e comprendere
1 /C 2 /E 3 /G 4 /A 5 /D

1. G) Grammatica e Lessico
che (1)
settimana (2)
a (3)
più (4)
della (5)
appuntamenti / incontri (6)
faccia (7)
grazie (8)

1. H) Ascoltare e comprendere

Viaggio in Germania Sig. Bianchi

Giorno partenza (1) **mercoledì prossimo (in mattinata)**.
dopo le ore (2) **11.00**

Giorno ritorno (3) **venerdì pomeriggio**

Destinazione volo (4) **Monaco**

All'aeroporto prenotare (5) **auto a noleggio**

Prenotazione hotel:
giorno: (6) **mercoledì**
città: (7) **Monaco**
giorno: (8) **giovedì**
città: (9) **Francoforte**

Inviare fax per fissare appuntamento con:
Sig. Schmidt: giorno (10) **mercoledì (pomeriggio)**
ore (11) **16.00**

Sig. Mueller: giorno (12) **giovedì (mattina)**
(13) **11.00**

Informarsi su (14) **orari (apertura) Fiera di Francoforte**

1. I) Grammatica e Lessico
1/ C 2/ B 3/ D 4/C 5/C 6/C 7/ D

1. L) Ascoltare e comprendere
1/B 2/ B 3/ A 4/A

1. N) Leggere e comprendere
Compito n.1
1/ F 2/C 3/ D 4/ A

Compito n.2
1/G 2/ N 3/ I 4/L

UNITA' 2
RAPPORTI ESTERNI ALL'AZIENDA

2. A) Ascoltare e comprendere

Saldo merci € (a) **70.000**

1° tranche € (b) **30.000**
Sconto (c) **2%**
2° tranche € (d) **40.000**
Sconto (e) **0**

1° consegna – Data (f) **15 settembre**

Modalità di pagamento (g) acconto di € **10.000 subito**
Saldo al **31 ottobre**

2° consegna – Data (h) **15 novembre**

Modalità di pagamento (i) **I rata €10.000 alla consegna**
II rata €15.000 a 60 gg.
III rata €15.000 a 90 gg.

Titolo di pagamento : Assegni (l) **circolari**

2. C) Grammatica e lessico

1/B 2/B 3/A 4/D 5/A 6/B 7/C 8/D 9/A 10/C

PRIMA LETTERA

1) ai
2) Voi
3) applicato /effettuato/praticato
4) mezzo
5) di
6) quale
7) altro
8) per
9) meglio
10) nostri

SECONDA LETTERA

1) attenzione
2) ricevere/avere
3) di
4) interessati
5) quale
6) Vostri
7) per
8) attesa
9) gradire

2. D) Ascoltare e comprendere

Cliente n. 1 G
Cliente n. 2 F
Cliente n. 3 E
Cliente n. 4 D
Cliente n. 5 C

2.F) Leggere e comprendere

1/B 2/C 3/A 4/A 5/C 6/B 7/C 8/B 9/A

2. H)Leggere e comprendere

Compito n.1

Paragrafo 1 / B
Paragrafo 2 / A
Paragrafo 3 / F
Paragrafo 4 / D
Paragrafo 5 / G

Compito n.2

1/L 2/I 3/M 4/H

2. I)Leggere e comprendere

PRIMO TESTO: A

SECONDO TESTO: C

2. L) Ascoltare e comprendere

1/C 2/B 3/B 4/B

UNITA' 3
SULLA SCRIVANIA

3. A) Leggere e comprendere
C

3. B) Ascoltare e comprendere
1/A 2/C 3/A

3. C) Leggere e comprendere
Compito n. 1
Paragrafo 1D
Paragrafo 2 A
Paragrafo 3 F
Paragrafo 4 B

Compito n. 2
1/H 2/M 3/I 4/N

3. D) Grammatica e lessico
1. dopo
2. cui
3. da
4. stesso
5. invece
6. titolari / possessori
7. sia
8. di
9. partire
10 più
11.di

3. F) Grammatica e lessico
1/B 2/D 3/A 4/C 5/A 6/D

3. G) Ascoltare e comprendere

Telefonata
Cliente: Sole di Toscana Sig.ra Manti

Oggetto della telefonata: richiesta preventivo per polizza assicurativa

Oggetto della polizza assicurativa:
1) **trasporto merci**

Merce da assicurare: 2) **olio di oliva**

Contenitori della merce: 3) **bottiglie di vetro**

Imballaggio contenitori: 4) **scatoloni di cartone**

Area geografica: 5) **Italia**

Mezzi di trasporto: 6) **camion**

Rischi da coprire: 7) **danneggiamento merci SI'**
8) **furto merci NO**

Inizio copertura assicurativa presso 9) **magazzini fornitore (momento del carico)**

Fine copertura assicurativa presso 10) **magazzini clienti (momento della consegna)**

Numero di fax Sig.ra Manti: 11) **050/984672**

3. H) Leggere e comprendere
A

3. L) Grammatica e lessico
1/A 2/B 3/D 4/A 5/B

3. M) Leggere e comprendere
B

3. N) Ascoltare e comprendere
Richiesta n. 1 F
Richiesta n. 2 E
Richiesta n. 3 B
Richiesta n. 4 D
Richiesta n. 5 C

3. P) Leggere e comprendere
1/B 2/A 3/C 4/C 5/A 6/C 7/A 8/B 9/A

UNITA' 4
LA PROMOZIONE DEI PRODOTTI

4. A) Leggere e comprendere
PRIMO TESTO B

SECONDO TESTO C

4. B) Ascoltare e comprendere

FIERA DEL MOBILE

Durata della fiera a) **dal 30 settembre al 5 ottobre**

Data ultima per la prenotazione dello stand
b) **31 maggio**

Superfici stands c) **15 mq** d) **30 mq** e) **60 mq**

Prezzo stand f) **200 euro al mq**

Servizio Hostess.
1) opzione g) **hostess non interpreti**
(che parlano solo italiano)
Costo h) **200 euro al giorno**

2) opzione i) **hostess interpreti** Costo l) **350 euro al giorno**

Alberghi convenzionati
1) Hotel m) **Continental**
Costo n) **(a partire da) 70 euro per camera singola**

2) Hotel o) **Europa**
Costo p) **(a partire da) 80 euro per camera singola**

4. D) Grammatica e Lessico
1) al
2) di
3) le
4) particolare
5) incontri
6) più
7) seguenti
8) serie
9) provenienti
10) a
11) che
12) sulle

4. F) Ascoltare e comprendere
1/C 2/C 3/B 4/A

4. G) Leggere e comprendere
Compito n. 1
Paragrafo 1 D
Paragrafo 2 A
Paragrafo 3 F
Paragrafo 4 C

Compito n.2
1/I 2/G 3/N 4/L

4. I) Leggere e comprendere
1/B 2/C 3/B 4/A 5/A 6/C 7/A 8/C 9/B 10/A

4. L) Ascoltare e comprendere
Slogan 1 C
Slogan 2 D
Slogan 3 B
Slogan 4 A
Slogan 5 F

4. M) Grammatica e Lessico
1/B 2/D 3/C 4/A 5/C 6/C 7/D 8/C 9/A

UNITA' 5
UNA PROVA D'ESAME

COMPRENSIONE DELLA LETTURA

A.1
1/A 2/B 3/A 4/A 5/B 6/B 7/C 8/A

A.2
1/B 2/C 3/A 4/A 5/B 6/A 7/B 8/C 9/B 10/C

A.3
Compito n. 1
1/F 2/A 3/D 4/ B

Compito n.2
1/ L 2 / H 3/ O 4/ G

ASCOLTO

B.1/a
1/C 2/F 3/A 4/H 5/E

B.1/b
1/D 2/A 3/G 4/C 5/B

B.2

1° commissione
Telefonare a Paolo e riferirgli:
l'appuntamento con la ditta Giorgini **è saltato** (1)
l'appuntamento con la ditta Salvaretti **è (confermato) per oggi pomeriggio alle 15.00** (2)

2° commissione
Telefonare all'Ing. Garini tel. N. **390/8733992** (3)
e riferirgli:
conferma acquisto **programma gestione contabilità** (4)
conferma acquisto **programma gestione buste paga** (5)

Fissare appuntamento con il Direttore per **mercoledì prossimo verso le 10.00** (6)

3° commissione
fare tre copie del **verbale dell'ultimo Consiglio di Amministrazione** (7)
consegnare le tre copie a:
amministrazione (8)
Presidente (9)
commercialista (10)
entro **oggi** (11)

4° commissione
Andare dall'Avvocato e portare dossier documenti.
Il dossier si trova nel **primo cassetto a destra (della scrivania del Direttore)** (12)
I documenti sono contenuti **in una cartellina verde** (13)

Indirizzo Avvocato: **Piazza Dante n. 18** (14)

Portare i documenti entro **le 10 e 30** (15)

B.3
1/ C 2/ A 3/ A 4/ B 5/ A

C GRAMMATICA E LESSICO

C.1
1/A 2/C 3/D 4/B 5/B 6/A 7/A 8/D 9/B 10/A 11/B 12/D

C.2
1) livello
2) quello
3) nel
4) pubbliche
5) conferenze
6) grande/notevole/particolare
7) di
8) conti
9) rispondere
10) dalle
11) comune
12) cui
13) mezzo
14) istituto
15) per
16) più
17) tra

THE LIBRARY NEW COLLEGE SWINDON WITHDRAWN

Finito di stampare nel mese di luglio 2006
da Guerra guru s.r.l. - Via A. Manna, 25 - 06132 Perugia
Tel. +39 075 5289090 - Fax +39 075 5288244
E-mail: geinfo@guerra-edizioni.com